Mon premier livre de contes du Canada

Dépôt légal : 2e trimestre 2010
Bibliothèque et Archives nationales du Québec
Bibliothèque nationale du Canada

Les Éditions Goélette bénéficient du soutien
financier de la SODEC pour son programme
d'aide à l'édition et à la promotion.

Nous remercions le gouvernement du Québec
de l'aide financière accordée par l'entremise
du Programme de crédit d'impôt pour
l'édition de livres, administré par la SODEC.

Correction : Corinne Danheux
Graphisme : Marie-Claude Parenteau

Imprimé au Canada

ISBN : 978-2-89638-627-7

Mon premier livre de contes du Canada

Corinne De Vailly

● ● ●

Illustré par Benoît Laverdière

Les Éditions Goélette

Introduction

Clopin-clopant, clopin-clopant, je t'invite à suivre Hadrien le conteur et son chien Sacapusse dans leur voyage de Terre-Neuve au Nunavut.

Installe-toi confortablement pour écouter les contes et légendes du Canada qu'Hadrien sort de son grand sac à histoires. Benoît Laverdière les a mis en images, avec son énorme talent d'illustrateur. Juste pour toi.

Aaaarrrrgggggghhhhhh! Oups ! Quel est ce bruit étrange ? Est-ce le cri d'un incroyable géant en Ontario ou du monstre Ogopogo de Colombie-Britannique ? À moins que… mais oui, pourquoi pas ? C'est peut-être celui du carcajou ou de Black Bartelmy, le redoutable pirate de la Nouvelle-Écosse.

Tchououououou! Tchououououou! Ah celui-là, tu le reconnais ! C'est le sifflement du train. Mais… et si c'était celui d'un train fantôme en Alberta ?

Des légendes de fantômes et d'esprits, Hadrien en a appris quelques-unes au Nouveau-Brunswick, au Yukon, au Nunavut et en Saskatchewan.

Et ce n'est pas tout.

Des ours polaires, des loups, des sirènes, un cheval blanc, des maringouins très astucieux, une amusante otarie et même un sorcier t'attendent entre les pages de *Mon premier livre de contes du Canada*.

Es-tu prêt ?… Allez viens, suis Hadrien et Sacapusse sur les grands chemins de la légende !

Corinne De Vailly | Montréal, janvier 2010

Table des matières

Le chercheur d'or (Yukon)

Il fait frais ce matin dans les rues de Saint-Jean, à Terre-Neuve. Mais Hadrien a du soleil plein les yeux. Il est assis au pied d'un arbre avec son chien Sacapusse. Autour de lui, des dizaines d'enfants se pressent pour écouter ses histoires.

De son grand sac à histoires, Hadrien sort une petite pièce d'or. Un rayon de soleil la fait briller entre ses doigts.
– C'est Jo le prospecteur qui a trouvé l'or qui a servi à fabriquer cette pièce merveilleuse ! s'exclame Hadrien. Il l'a trouvée dans un endroit très dangereux, près d'un grand marécage, au Yukon. Écoutez bien !

« C'est l'hiver. Jo marche depuis des heures. Malheur, cette fois, il en est sûr, il s'est égaré. La neige tombe à gros flocons. Le soir tombe. Cet endroit a mauvaise réputation, c'est un marécage très dangereux.

Au secours ! Les eaux vont l'engloutir. Vite, il doit se sortir de ce piège. Il avance un pied. Le retire. Encore. Un pas de plus. Et un autre.

Floch, Floch, Floch ! fait l'eau pour l'attirer. Ouaf, ouaf, ouaf ! font ses chiens effrayés.

Pendant une heure, Jo se bat contre la force de l'eau. Il tire.
Pousse. S'enfonce. Se relève.

Tire encore. Enfin ! Voilà un peu de terre ferme sous ses pieds.
Il est sauvé !

Ouf, ouf, ouf ! jappent ses chiens très
heureux de s'en sortir.

Il fait presque nuit. Il neige très fort. Jo ramasse un peu de bois. *Cric, crac, croc !* *Cric, crac, croc !* fait le feu. La nuit est profonde et noire. Mais, les jolies étoiles amènent un peu de réconfort à Jo et à ses chiens.

– Mes gros loulous, leur dit Jo, installons-nous et reposons-nous. Demain, la journée sera difficile. Il faudra traverser tout le marais.

Les deux gros chiens se collent contre Jo. Les trois aventuriers s'endorment. *Zzzzzzzzzz !*

Tout à coup, **aaaaah**, un grand cri. Jo sursaute. Il y a quelque chose, ou plutôt quelqu'un. Le prospecteur se frotte les yeux. *Frouch, frouch, frouch !*

– Qui va là ?

– Pourquoi as-tu envahi cette terre sacrée ? hurle un guerrier amérindien en brandissant une lance dans sa direction. Va-t'en tout de suite ou tu auras affaire à moi !

– Je suis perdu ! proteste Jo. Si tu me montres comment partir d'ici, je te promets de ne plus jamais te déranger en venant prospecter dans les alentours.

– Je suis le gardien de cet endroit sacré, et je ne peux pas le quitter, répond le brave guerrier. Mais, je vais t'appeler un guide…

L'Amérindien lève les bras vers le ciel et prononce quelques paroles dans sa langue. Puis, il disparaît. Les chiens se mettent à gronder. Jo cligne plusieurs fois des yeux.

– Je rêve, c'est sûr, je rêve !

Devant lui, il y a une jeune et belle Amérindienne enveloppée de lumière. Elle lui fait signe gentiment. Les chiens cessent aussitôt de grogner. Ils courent vers elle et lui lèchent les mains comme s'ils la connaissaient. Slurp, slurp, slurp! Et ils sautillent autour de ses jambes comme des chiots.

Jo comprend qu'il n'y a pas de danger. Il ramasse son équipement, puis s'avance vers la jeune fille. Elle lui sourit. Soudain, elle lève les bras vers les flocons de neige qui tombent. Et elle se transforme en un gros lièvre blanc.

Le lièvre regarde le prospecteur, puis court droit devant. Les chiens s'élancent. Jo comprend qu'il doit suivre.

Pendant de longues heures, ils avancent ainsi à la file indienne, sans dévier ni à droite ni à gauche du chemin tracé par le lièvre. Les chiens suivent docilement, sans tenter d'attraper le beau lièvre. Ils serpentent à travers le marécage sans jamais se mouiller les pieds.

Enfin, juste avant l'aube, ils atteignent un terrain sûr. Le prospecteur regarde autour de lui. Il sait où il est, il reconnaît l'endroit.

Aussitôt, le lièvre redevient la jeune et belle Amérindienne. Les chiens dansent tout autour d'elle. Elle leur tapote affectueusement la tête. Puis, elle sourit au chercheur d'or et disparaît au moment où les premiers rayons de soleil se lèvent à l'horizon. À cet instant, Jo voit quelque chose qui brille. Juste là, où se tenait la jolie fille. Il se penche et met la main sur la plus grosse pépite d'or qu'il n'a jamais vue. »

Au moment, où Hadrien prononce ces mots, sa pièce d'or cesse de tourner entre ses doigts. En faisant un clin d'œil à l'assistance, il la remet dans son sac à histoires.

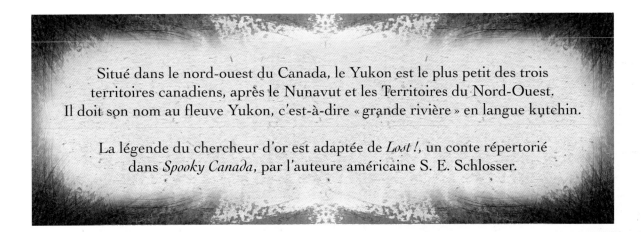

Situé dans le nord-ouest du Canada, le Yukon est le plus petit des trois territoires canadiens, après le Nunavut et les Territoires du Nord-Ouest. Il doit son nom au fleuve Yukon, c'est-à-dire « grande rivière » en langue kutchin.

La légende du chercheur d'or est adaptée de *Lost !*, un conte répertorié dans *Spooky Canada*, par l'auteure américaine S. E. Schlosser.

Le lac Qu'Appelle (Saskatchewan)

Clopin-clopant, clopin-clopant, sur la route du Héron bleu, Hadrien et Sacapusse traversent le parc national de l'île-du-Prince-Édouard. Ils se dirigent vers une petite maison blanche et verte où des centaines de touristes se pressent.

– Sacapusse, nous sommes arrivés. Voici la maison d'Anne aux pignons verts. Hum ! Il y a beaucoup de monde. Faisons la file pour la visite.

Ils attendent depuis une quinzaine de minutes, lorsque Hadrien a une idée.

– Et si je contais une histoire pendant que nous attendons notre tour ?

– Ouaf, ouaf, ouaf ! répond Sacapusse, tout content.

– Mademoiselle, voulez-vous en choisir une dans mon sac à histoires ? demande Hadrien à une jeune touriste japonaise.

La jeune fille plonge la main dans le sac et en retire un petit papier vert et jaune.

– Ah, les couleurs de la Saskatchewan… s'exclame Hadrien. Allons-y donc avec une légende des Prairies.

« C'est l'histoire d'Ononwitha, un jeune chasseur, le meilleur de sa tribu, les Assiniboines. Il est fiancé à Winona. Ils doivent se marier bientôt. Mais un mariage, ça coûte cher. Pour gagner de l'argent, Ononwitha doit vendre beaucoup de peaux de loups et d'ours aux Blancs.

Donc, lorsque au printemps, des coureurs des bois lui proposent de les accompagner pour trapper, il n'hésite pas. Winona est bien triste de le voir partir au loin.

– Je reviendrai à la première lune de l'automne, assure-t-il.

– Je t'attendrai près du lac. Je serai la première à entendre le bruit de tes rames. Je serai la première à t'accueillir, lui jure-t-elle.

Le cœur lourd, Ononwitha part avec les trappeurs.

Pendant de nombreuses lunes, ils chassent et trappent, trappent et chassent. Mais tous les soirs, Pfuitttt, les pensées d'Ononwitha s'envolent vers Winona. Il a tellement hâte de la serrer dans ses bras.

Toutefois, la chasse est fructueuse et le prix des fourrures monte sur le marché.

– Reste encore un peu ! disent les trappeurs.

– D'accord, encore un jour ou deux, soupire le jeune chasseur.

Mais les jours passent et passent et passent. La première lune de l'automne est déjà partie. Ononwitha n'est pas de retour comme il l'avait promis à Winona.

Puis, un matin, il lance à ses compagnons :

– J'ai accumulé suffisamment de peaux, je rentre auprès de Winona.

Le jeune homme prépare son canot et s'embarque pour un voyage de retour de plusieurs jours. Il rame, rame, rame de toutes ses forces. Il a tellement hâte de revoir sa fiancée qu'il prend à peine le temps de se reposer.

Enfin, Ononwitha arrive au bord du lac. De l'autre côté, il y a son village. Mais comme la nuit est tombée, et que les eaux sont agitées, il préfère s'arrêter. Épuisé, il s'endort au bord du lac. Soudain, au cœur de la nuit noire, il se réveille en sursaut. Quelle est cette voix qui prononce son nom ? "Ononwitha, Ononwitha !"

Il écoute, puis lance :
– Qui appelle ? Qui appelle ?

"Qu'aaappelllle ? Qu'aaappelllle ?" répond l'écho de sa voix
en rebondissant dans les collines environnantes.

Il tend encore l'oreille. Il sent la chair de poule courir sur sa peau.
Brrrrrr! Est-ce le froid ? Est-ce la peur ? Est-ce un mauvais présage ?

Enfin, le petit matin arrive. Vite, Ononwitha saute dans son canot et rame,
rame, rame, de toutes ses forces.

Plusieurs fois, alors qu'il navigue sur le lac, il entend
les mêmes appels, plus insistants que la veille :
"Ononwitha, Ononwitha !"

Il crie encore :
– Qui appelle ? Qui appelle ?

Mais rien, aucune réponse, sauf l'écho :
"Qu'aaappelllle ?
Qu'aaappelllle ?"

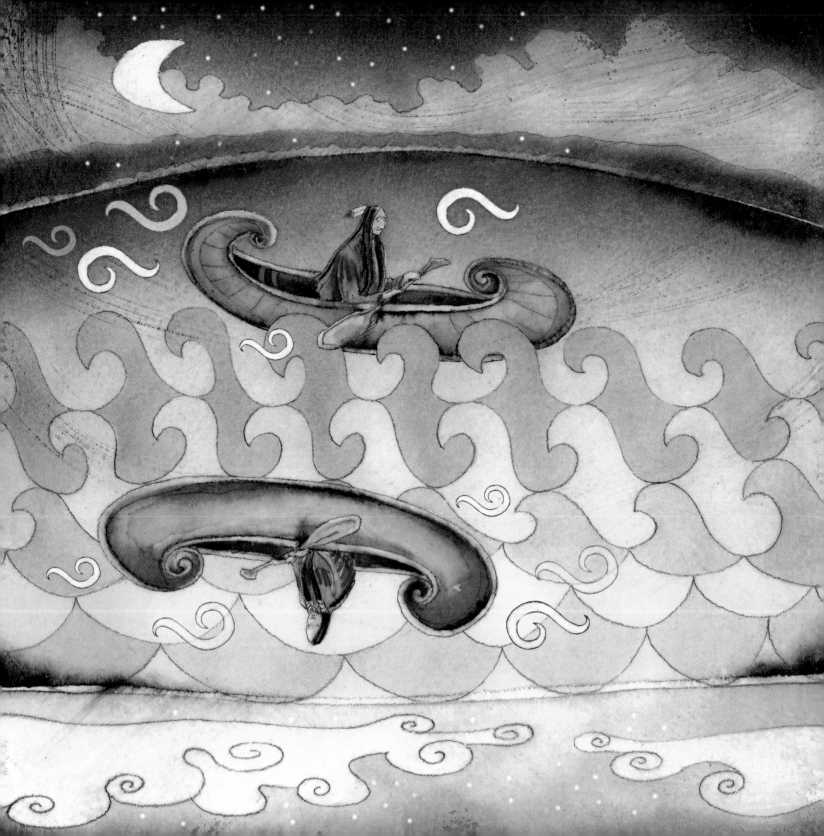

Enfin, voici le village. Mais que se passe-t-il donc, là tout près de l'entrée du wigwam de sa fiancée ? Il entend des pleurs de femmes et d'hommes.

– Que se passe-t-il ? crie Ononwitha en courant de l'un à l'autre.

– Un grand malheur ! répond le vieux chef. Hier soir, pressée de te retrouver, Winona a mis son canot à l'eau pour te rejoindre plus vite, malgré tous nos avertissements. Mais le vent soufflait si fort sur le lac que son embarcation a chaviré. Winona s'est noyée cette nuit.

À ce moment-là, Ononwitha sent un grand voile noir tomber devant ses yeux. Il ne peut plus dire un mot. Il se dirige vers son canot, monte dedans, et rame, rame, rame…

C'est depuis ce jour-là que le lac a pris le nom de "lac Qu'Appelle".

Bien des années ont passé. Et parfois, le soir, lorsque la lune apparaît derrière les collines, des voix étranges courent sur le lac. Une voix de jeune fille crie : "Ononwitha ! Ononwitha !" Et une voix de jeune homme répond : "Qui appelle ? Qui appelle ?" Parfois, le vent transporte un écho : "Qu'aaappellle ? Qu'aaappellle ?" »

– À qui le tour ? s'écrie une voix grave. Hadrien et la jeune Japonaise sursautent. C'est le guide qui les invite à entrer dans la maison blanche et verte.

– Ouaf ! fait Sacapusse, en s'asseyant sagement devant la porte pour attendre le retour de son maître.

Il existe plusieurs versions de la légende du lac Qu'Appelle. Parfois, elle met en scène un jeune trappeur blanc appelé Simon et sa fiancée. La version présentée ici est adaptée des *Français dans l'Ouest canadien*, de Donatien Frémont (1881-1967).

Le mot Saskatchewan vient du nom de la rivière Kisiskatchewani Sipi, ou « rivière au cours rapide » en langue crie.

Le train fantôme (Alberta)

Ding, ding, ding, ding ! sonne la grosse horloge de la colline de la Citadelle, de Halifax, en Nouvelle-Écosse.

– Déjà 16 heures, dit Hadrien à Sacapusse. Le train sera bientôt en gare. Ah, mais à propos, ça me rappelle une histoire qui est survenue dans la région de Medicine Hat, en Alberta. Je pourrais la raconter aux enfants que l'on va rencontrer à Truro. Tiens, tu me diras ce que tu en penses Sacapusse.

« Ça se passe en 1908. En ce temps-là, les trains fonctionnent au charbon. Alfonse est donc chargé de mettre le charbon dans la chaufferie. Ce mois de mai là, il travaille de nuit, avec son copain Twohey, le mécanicien qui, lui, conduit la locomotive.

Une nuit, ils se trouvent à environ trois kilomètres de Medicine Hat quand une lumière aveuglante surgit devant leur train.

– **Aaaaah !** hurle Alfonse. Un train s'en vient à contresens.

À ce moment-là, le train qui fonce droit sur eux s'écarte sur la droite, et dépasse la locomotive dans un bruit de tonnerre : Rrrrrrrh !

– C'est pas possible ! fait Alfonse, étonné. Non. Je n'y crois pas ! Il n'y a qu'une seule voie ici. Regarde, Towhey ! Ses roues ne touchent même pas aux rails… C'est incroyable ! Je n'ai jamais vu une chose comme ça ! Je me demande bien ce que ça signifie. En tout cas, tu peux en être sûr, Towhey, ce n'est pas un *train fantôme* qui va me faire abandonner mon travail.

Quelques semaines plus tard, Alfonse est de nouveau devant le foyer de la locomotive, avec un autre mécanicien du nom de Nicholson. Ils sont sur la même voie, tout près de Medicine Hat.

Brusquement, un sifflement aigu attire leur attention. Hiiiiiiiih ! Et la lumière du train fantôme jaillit de nulle part.

– Aaaaah ! hurle Alfonse.

– Tchouououou ! siffle le train.

Alfonse pense bien que son cœur va s'arrêter. Mais, juste à la dernière seconde, encore une fois, le train fantôme bifurque vers la droite. Au moment où il les dépasse, Alfonse voit des passagers dans le train fantôme qui les regardent curieusement.

De retour à la gare, Alfonse se dit cette fois qu'il préfère ne plus travailler de nuit.
– Qu'est-ce que ça veut dire ? Pourquoi est-ce que je vois un train fantôme ? C'est étrange, tout ça ? C'est peut-être un signe… oui, mais un signe de quoi ?

Mai se termine et juin aussi. Alfonse travaille maintenant au dépôt des trains. Mais en juillet, finalement, il accepte de reprendre son travail dans la locomotive pour remplacer un collègue malade. Il a un peu peur.

Ce soir-là, il est en train de jeter du charbon dans la chaufferie pour mettre en route sa locomotive, lorsque d'autres travailleurs arrivent en courant.
– Malheur ! Il y a eu un grave accident. Le train de voyageurs venant de Lethbridge est entré en collision avec un autre train, là-bas, sur la voie unique à trois kilomètres de Medicine Hat ! crie un mécanicien.
– Oh non, non ! se lamente Alfonse.

On vient de lui indiquer à quel endroit ça s'est passé. C'est à l'endroit exact où, par deux fois, il a vu le train fantôme. Cette fois la locomotive a déraillé, le fourgon à bagages a été détruit, et il y a eu sept blessés, mais malheureusement deux morts parmi les passagers venant de Lethbridge : Twohey et Nicholson, les deux mécaniciens.

Alfonse comprend alors que l'apparition du train fantôme était une mise en garde pour Twohey, Nicholson et lui. Le train fantôme les avertissait de ne plus jamais se trouver sur cette voie pendant la nuit. Mais les deux mécaniciens n'ont pas écouté les signes du destin, et ils ont perdu la vie. Pour sa part, Alfonse sait qu'il ne travaillera plus jamais à la chaufferie d'une locomotive de nuit. Ça, c'est garanti !

Ding, ding, ding, ding ! fait la cloche du chef de gare sur le quai.
– Tiens, voilà notre train… Allez viens, Sacapusse. Monte. Mais le chien reste assis, sans bouger.
– Oh, je vois, tu as peur du train fantôme ! Allez, Sacapusse, il ne faut pas avoir peur, ce n'est qu'une histoire…

Halifax était appelée *Chebucto* « le plus grand port » (Chibouctou en français) par les Micmacs, un peuple amérindien. Pour sa part, le nom Medicine Hat serait peut-être la traduction du mot *saamis* qui, en langue pied-noir, signifie « coiffure de sorcier ».

À Stockholm, capitale de la Suède, une rumeur parle d'un train fantôme qui hanterait les tunnels reculés du métro. Une autre rumeur dit qu'en Australie, un train, sans conducteur ni passager, a traversé silencieusement douze gares de la banlieue de Melbourne et sept passages à niveau avant de percuter un autre train.

C'est peut-être à cause de toutes ces légendes que les trains fantômes sont les attractions les plus appréciées des fêtes foraines… On aime se faire des petites peurs.

Le Windigo
(Territoires du Nord-Ouest)

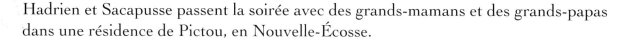

Cric, crac, croc ! fait le feu de bois dans la cheminée.

Zin zin zin ! fait la chaise berçante de Mamie Marie.

Zzzzzz ! fait Papy Hector, en ronflant.

Hadrien et Sacapusse passent la soirée avec des grands-mamans et des grands-papas dans une résidence de Pictou, en Nouvelle-Écosse.

C'est Marie, la plus vieille mamie du foyer, qui a été désignée pour fouiller dans le sac à histoires. Elle ajuste bien ses lunettes sur son nez et, d'une petite voix toute tremblante, lit le papier qu'elle tient entre ses doigts.
– Histoire du Windigo, en provenance de Yellowknife, Territoires du Nord-Ouest.
– Oh, c'est une histoire un peu effrayante ! Êtes-vous sûrs de vouloir l'entendre ? demande Hadrien.
– Bien sûr, bien sûr ! fait Papy Hector qui vient de se réveiller.
– D'accord ! répond Hadrien, en prenant une grande inspiration.

« Whou-hou-hou ! souffle la tempête.

Greu-greu-greu ! fait l'estomac de la petite fille de Mahpee, le chasseur.
Il fait froid, la tempête dure depuis des jours et des jours, il n'y a plus rien à manger à la maison. Mahpee doit sortir pour nourrir sa famille.

Whou-hou-hou! souffle la tempête, lorsque Mahpee ouvre la porte et sort de sa cabane.

Crouch, crouch, crouch! font les pas du chasseur sur la neige.

Son javelot dans une main, son couteau dans l'autre, Mahpee avance lentement sur le sentier qui conduit à la grande forêt. Elle est silencieuse. Tous les animaux sont endormis pour l'hiver.

Mahpee regarde à droite, regarde à gauche : il n'y a pas une seule trace dans la neige. Aucun lièvre n'est passé par là. Aucun caribou n'a gambadé sur le chemin. Pas un seul oiseau ne s'est posé sur les arbres. Tout le monde dort.

Crac! Une branche a craqué. Mahpee s'arrête. Il guette les bruits.

Boumboum, boumboum, boumboum! fait son cœur dans sa poitrine.

Un cri, non, plutôt une sorte de sifflement éraillé déchire soudain le silence : **aaaah-ron!** »

– **Ouaf, ouaf, ouaf!** fait Sacapusse, en se cachant sous la chaise d'Hadrien.

« Ce cri semble venir de partout et de nulle part à la fois. La grande forêt en est remplie, continue Hadrien. **Aaaah-ron!**

Mahpee sent ses jambes trembler : **aglagla, aglagla!** Il sait qui a poussé ce cri horrible : c'est le **Windigo.** »

– **Ouaf, ouaf, ouaf!** jappe plus fort Sacapusse.
Il n'aime pas le Windigo. Il rabat ses oreilles, pour ne pas entendre la suite.

« Le père de Mahpee lui a parlé de ce monstre, de ce cannibale immense comme le plus grand des arbres. De la bave gluante dégouline de la bouche sans lèvres de cette affreuse créature. Mais ce qui fait le plus peur à Mahpee, c'est que le Windigo aime manger les êtres humains. »

– Ouaf, ouaf, ouaf !

– Chuuuut Sacapusse ! souffle Hadrien. Si tu as peur, va faire un tour dehors.

Mais le chien secoue la tête, puis se roule en boule aux pieds de la vieille Marie.

– Bon, où en étais-je déjà ? Ah oui ! Parfois, la créature laisse la vie sauve à ses proies, mais dans ce cas-là, la personne qui a été attaquée devient elle-même un Windigo qui se met à chasser ceux qu'elle a aimés, même les membres de sa propre famille. »

Clac, clac, clac ! font les dents de Sacapusse.

« Mahpee a peur, terriblement peur. Aglagla, aglagla ! Il tremble, pourtant il est bon chasseur et très courageux.

Mahpee avance un pas. Crouch ! Puis, l'autre. Crouch ! Et encore un pas. Crouch ! Et encore un autre. Crouch ! Il s'arrête. Là, sur sa droite, ces empreintes-là, il les connaît. Ce sont celles du Windigo. Le monstre n'est pas loin.

Tout à coup ! Aaaaaaaaah ! Un tas de neige vole en éclats. Une créature immense se précipite en crachant : aaaah-ron ! »

– Ahouhouhou ! hurle Sacapusse.

– Chuuuut ! fait Hadrien.

Marie caresse la tête de Sacapusse pour le calmer.

Bon, je continue ! reprend Hadrien.

« Mahpee plonge sur le côté. Il roule dans la neige pour que le Windigo ait de la difficulté à le voir au milieu des gros flocons qui continuent à tomber. Le corps du Windigo tournoie au-dessus de lui.

Mahpee lance son javelot : ffffui ! Il atteint sa cible. Mais la créature se secoue, se trémousse…
et l'arme tombe.

Mahpee se cache derrière un arbre. Mais… il ne voit plus le Windigo. Où se trouve donc
l'abominable créature ? Il retient sa respiration : humpf ! Il lui reste peut-être une chance
de s'échapper.

Aaaah-ron ! Le Windigo saute au-dessus de lui, se penche et essaie de l'attraper avec ses grands
bras. Mahpee bondit en avant. Le Windigo pue, pouach ! Pire que des œufs pourris !

Alors, Mahpee le frappe, le frappe très fort… De plus en plus fort. Aaaah-ron !
hurle le monstre.

Le Windigo s'effondre dans la neige : pouch !

Mahpee soupire profondément. Fiou ! Il a vaincu le monstre.

Tout à coup, fchuiii, la dépouille de la créature disparaît sous forme de brume. Le chasseur
ramasse son javelot, et tout tremblant, prend le chemin qui mène à sa cabane. Il se sent si faible.
Il a si faim. Greu-greu-greu ! fait son estomac vide.

Il regarde à droite, il regarde à gauche… Il n'y a pas le plus petit animal aux alentours.
Mêêêh ! Mêêêh ! Mêêêh !

Mais, qu'est-ce que c'est ? se demande Mahpee. Il examine les environs.

Juste là, à l'orée du bois, un gros mouflon le regarde sans bouger.
Mêêêh ! Mêêêh ! Mêêêh !

Mahpee fixe la bête, puis ferme les yeux de soulagement.
– Merci Grand Esprit ! dit-il. C'est sans doute parce que j'ai débarrassé le coin du Windigo que tu m'as envoyé cet animal.

Maintenant, le chasseur sait qu'il aura assez de nourriture pour lui et sa famille jusqu'à ce que la tempête qui menace cesse et qu'il puisse retourner chasser.

Crouch, crouch, crouch ! font les pas de Mahpee sur la neige, tandis qu'il revient chez lui. »

Zin zin zin ! fait la chaise berçante de Mamie Marie.

Zzzzzzz ! fait Papy Hector, qui s'est rendormi.

Crac ! fait une bûche dans la cheminée.
– *Ahouhouhou !* hurle Sacapusse, en bondissant sur les genoux d'Hadrien, en tremblant de tous ses membres.

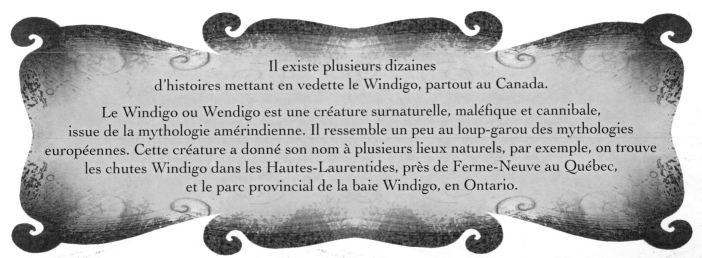

Il existe plusieurs dizaines
d'histoires mettant en vedette le Windigo, partout au Canada.

Le Windigo ou Wendigo est une créature surnaturelle, maléfique et cannibale,
issue de la mythologie amérindienne. Il ressemble un peu au loup-garou des mythologies
européennes. Cette créature a donné son nom à plusieurs lieux naturels, par exemple, on trouve
les chutes Windigo dans les Hautes-Laurentides, près de Ferme-Neuve au Québec,
et le parc provincial de la baie Windigo, en Ontario.

La grande escapade de Slippery, l'otarie (Ontario)

Aujourd'hui, Hadrien conte devant plusieurs dizaines d'enfants dans la plus ancienne bibliothèque du Canada, celle de Saint-Jean au Nouveau-Brunswick.

– Alors, voyons ce que je vais sortir de mon sac à histoires ? fait-il en glissant sa main à l'intérieur. Ah, ah !… l'histoire de Slippery, l'otarie. Qui a entendu parler de Slippery, l'otarie ?

Bbzzzzzzzzzzz! fait une mouche en train de voler.
– Personne ? s'amuse Hadrien. Eh bien, je vais vous la raconter, et vous allez être bien étonnés.

« Slippery vit à Storybook Gardens, le parc d'attractions de London, en Ontario. En fait, elle devrait y vivre. Mais cette nuit-là, Pfuitttt, Slippery file en douce.

Au petit matin, le surveillant du parc reste bouche bée : il ne reste qu'une seule otarie dans le bassin. Où est donc passée Slippery ?
– Ouh, ouh ! Où es-tu Slippery ?

Le gardien court à droite, il court à gauche ! Vite, vite ! Fermez les portes…

Quelqu'un a vu Slippery, l'otarie ? »

– Ouaf! fait Sacapusse.
– Quoi ? Tu penses qu'elle a été kidnappée, Sacapusse ?
– Ouaf, ouaf!
– Ah, tu dis qu'avec ton flair, toi, tu l'aurais facilement trouvée ? Tu as raison, mon cher Sacapusse.

Mais il n'y a pas de bon renifleur
comme toi dans ce parc.

« Il faut chercher. Chercher encore.
On fouille à droite, on fouille à gauche !

Rien. Désespérément rien.

Dans son bassin, l'amie de Slippery
tourne en rond, toute seule et toute triste.

Un jour passe, puis deux jours, puis trois
jours. C'est long trois jours, quand on est tout seul.
L'amie de Slippery s'ennuie.

Finalement, un matin, drelin, drelin, drelin ! fait le téléphone des policiers d'une ville américaine,
située bien loin de London.

Drelin, drelin, drelin ! On a vu un drôle d'animal par ici…

Drelin, drelin, drelin ! Un mammifère étrange par là ?

Drelin, drelin, drelin ! Est-ce un monstre dans le lac ?

Drelin, drelin, drelin ! Le téléphone ne cesse de sonner toute la journée.

– Ouaf, Ouaf, Ouaf ! reprend Sacapusse.

Drelin, drelin, drelin ! Est-ce une otarie ?

Ah, ça y ressemble bien. Oui, mais… c'est impossible ! Une otarie, ça vit dans les eaux salées,
pas dans les lacs d'eau douce.

Et puis, le même jour "Récompense, récompense !" annonce le parc Storybook Gardens.
Il faut ramener Slippery à London saine et sauve. Vite, il faut la retrouver.

Cherche à droite, cherche à gauche ! Où est donc
passée Slippery ?

Son amie Lonesome
s'ennuie, seule, dans le parc.
En entendant cela, des gens
de partout en Amérique
ont la même idée. Ils
vont venir en aide à
la pauvre Lonesome.

Au petit matin, "Tut tut tut !" fait un camion devant l'entrée du parc. »

– Ouaf, ouaf, ouaf ! commente Sacapusse
– Ah, ah ! Tu as deviné ce que c'est, Sacapusse.

« Oui, c'est bien ça : une livraison de poissons pour Lonesome, pour qu'elle trouve le temps moins long.

Mais où est donc Slippery ? Se dirige-t-elle vers la mer ? Va-t-elle s'en aller à tout jamais ?

Le temps passe, et passe, et passe. Ça fait une semaine que Slippery a disparu.

Et finalement : "Grande nouvelle, grande nouvelle !" annonce la radio. Slippery a été retrouvée. On l'a conduite dans un zoo américain. Ouf ! Elle va bien. Elle est même en train de devenir la vedette du coin. Des milliers de personnes se pressent au zoo pour voir cette intrépide otarie.

Mais… mais, ah non, mais quoi, encore ? Les Américains veulent garder Slippery, en Ohio !

Ah non ! Il n'en est pas question ! bougonne le maire de London. Les Canadiens sont fâchés. Slippery est une héroïne canadienne. Elle doit revenir dans son pays.

Une semaine passe, puis deux. Enfin, Slippery est de retour. Des milliers de personnes sont dans les rues pour l'accueillir. La ville de London a organisé un défilé avec des chars allégoriques, des majorettes et des troupes musicales : *Flon, Flon, Flon !* jouent les trompettes. Une petite fille lui offre des fleurs.

– *Heueu, heueu !* fait Slippery, battant des nageoires, en retrouvant son bassin.

– *Heueu, heueu !* répond Lonesome tout heureuse de la retrouver.

Depuis ce jour-là, un immense panneau devant le bassin relate l'incroyable escapade de Slippery, l'otarie. »

– Bravo, bravo, Hadrien et Sacapusse ! crient les enfants de la bibliothèque.

– Chuuuut ! fait Hadrien en mettant son doigt sur ses lèvres. Je n'entends plus la mouche voler.

Bbzzzzzzzzzzzzz !

L'aventure de Slippery, l'otarie, est une histoire vraie qui s'est déroulée du 17 juin au 6 juillet 1958. Durant son escapade, Slippery, dont le nom signifie « glissant », a descendu la rivière Thames de London jusqu'au lac Saint-Clair, vagabondé dans la rivière Detroit et finalement s'est retrouvée dans le lac Érié. Elle a parcouru plus de trois cents kilomètres. À cause de cette extraordinaire aventure, le parc Storybook Gardens est devenu très populaire en Ontario. Deux millions de personnes sont même venues rendre un dernier hommage à Slippery lorsque sa vie s'est achevée en janvier 1967. Depuis, Slippery est la mascotte officielle du parc et les jeux d'eau pour enfants sont nommés *Slippery's Great Escape* (*La grande escapade de Slippery*).

La légende des maringouins (Manitoba)

Hadrien et Sacapusse font du pouce tout près de Moncton au Nouveau-Brunswick. Un automobiliste les embarque pour les mener en ville. Soudain, au pied d'une longue côte, le conducteur met l'embrayage au neutre, enlève son pied de l'accélérateur et se croise les bras. Et la voiture se met à grimper la côte à reculons, comme par magie.

– Ouaf, ouaf, ouaf ! aboie Sacapusse, tout étonné.

– Wow, génial ! C'est la côte magnétique ! s'exclame Hadrien.

Le chauffeur demande à Hadrien s'il a déjà vu quelque chose d'aussi étrange. Le jeune conteur réfléchit un instant, puis lance :

– Il n'y a pas longtemps, j'étais dans la ville de Komarno au Manitoba, la capitale des maringouins. J'y ai vu un moustique d'une dimension phénoménale, qui bouge avec le vent. Là-bas, on raconte aussi une légende de maringouins qui est assez amusante.

« L'histoire se passe au début des années 1900. Martial vient d'arriver au Manitoba, et il cherche une terre où s'installer. Un jour d'été, avec son ami Martin, il décide d'explorer les environs d'un étang. La terre semble bonne à cultiver dans la région.

Comme le soir tombe rapidement, Martin monte la tente pendant que Martial ramasse du bois pour leur feu de camp. Ils préparent le souper, puis s'installent tranquillement au coin du feu pour discuter. La soirée est superbe, mais le temps est très humide.

Tout à coup, un *bzzzzzzz* suspect fait froncer les sourcils de Martin. Un *maringouin* tourne autour de sa tête. Il le chasse d'un geste de la main.
– *Grrrrrrrr* ! J'aime pas les *maringouins*, bougonne-t-il.

De son côté, Martial ne prête pas trop attention à la nuée d'insectes. Il continue de parler. Mais le pauvre Martin, lui, gesticule dans tous les sens. Les dizaines de *bzzzzzzz* agaçants qu'il perçoit lui tapent sur les nerfs.

Et clac! Une claque sur le bras.

Et clac! Une tape sur la nuque.

Et clac! Un coup sur le front.

– Ah, c'est l'enfer ici ! s'énerve Martin. Il donne des petits coups secs sur toutes les parties de son corps. La clairière est belle, mais c'est infesté de *maringouins*.
– Arrête de gesticuler, tu les excites ! répond Martial, très calme.
– Fais ce que tu veux, mais moi je vais sous la tente ! lance Martin, en se levant à toute vitesse.

Bzzzzzzz, bzzzzzzz ! font les maringouins en l'escortant jusqu'à son abri.

De son côté, Martial prend son temps. Il se rend à la rivière et nettoie leurs casseroles et leurs assiettes. Ensuite, il revient au campement avec un peu d'eau qu'il jette sur le feu pour l'éteindre.

Bzzzzzzz, bzzzzzzz! insistent les maringouins.

Finalement, après deux ou trois claques appliquées avec fermeté sur sa nuque, Martial décide de se mettre à l'abri lui aussi. Il entre dans la tente. Mais il n'a pas remarqué qu'un intrus s'est glissé à l'intérieur avec lui.

En voyant la tête de son ami, Martial ne peut retenir un éclat de rire. Martin est tout rouge, recouvert de piqûres douloureuses. Et il se gratte, gratte, gratte.

Scroutch, scroutch, scroutch!
– Ne te gratte pas, ça va s'infecter! lui conseille Martial, en lui tendant un pain de savon. Tiens, mets-en un peu sur les piqûres, ça va calmer tes démangeaisons.

Martin se dépêche de suivre ce conseil. Il est en train de s'appliquer du savon sur le bras lorsqu'il s'arrête brusquement. Il fixe un coin de la tente, là où une petite lumière vient de clignoter.
– Ah, toi, je vais t'avoir! s'écrie Martin, en se précipitant sur l'intrus.

Il lève la main pour écraser l'insecte, mais celui-ci lui échappe en volant dans le coin opposé de la tente. La luciole n'est pas d'humeur à se laisser attraper. Martin, qui la confond avec un moustique, la poursuit pendant de longues minutes. Puis, tout à coup, il s'exclame:
– Tu peux me croire, Martial. Cette terre n'est pas bonne pour nous. Voilà que les maringouins se munissent de lanternes pour mieux nous voir et nous piquer… Je ne resterai pas un jour de plus ici!
– Ha! ha! ha! ha! rigole Martial en se tenant les côtes. Ha! ha! ha! ha!

Martial n'a jamais rien entendu d'aussi drôle.
– Elle est bonne, celle-là ! Oh, trop bonne ! Il faut que je la raconte à ma femme. Ha ! ha ! ha ! ha ! Ce n'est pas un maringouin, c'est une lucioooooole ! Une lucioooooole…
Il en rit aux larmes.

De retour à Winnipeg, Martial raconte effectivement l'histoire à sa parenté et à ses amis. Et depuis ce jour-là, au Manitoba, les lucioles sont parfois appelées des "maringouins à lanterne".

Quelques années plus tard, des émigrants ukrainiens sont venus s'installer non loin de l'endroit que Martial et Martin avaient exploré. Ils ont fondé une ville et lui ont donné le nom de Komarno, c'est-à-dire "moustique" en ukrainien. C'est là que j'ai vu la statue du plus gros maringouin du monde… » conclut Hadrien.

L'automobiliste rit à son tour.

– Ouaf, ouaf, ouaf ! jappe Sacapusse qui, lui aussi, apprécie beaucoup cette histoire.

Cette histoire est adaptée du récit
« Maringouins à lanterne », dans *Légendes manitobaines*,
Louisa Picoux et Edwige Grolet, Éditions des Plaines,
Saint-Boniface, Manitoba, 2002.

Komarno revendique le titre de capitale mondiale du maringouin.
Là-bas, les maringouins sont si gros, qu'une autre légende dit qu'ils peuvent
transporter des petits enfants entre leurs pattes ou sur leur dos.
Depuis 1984, on peut y voir la statue du plus gros
maringouin du monde. Elle est faite de métal et s'élève
à une hauteur de 4,6 mètres.

La romance d'Aigle et Baleine (Colombie-Britannique)

Toc ! Toc ! Toc ! Trois coups à la porte d'entrée. Maman va ouvrir, puis lance :
– Élie, regarde qui arrive !

Le jeune garçon relève la tête de son devoir.
– Cousin Hadrien ! Sacapusse !

Élie se jette dans les bras du jeune conteur qui le soulève au-dessus de sa tête.
– Hadrien, Hadrien ! As-tu de nouvelles légendes à me raconter ? demande Élie, tout excité.
– Bien sûr. J'étais en Colombie-Britannique il y a quelques semaines, chez les Inuits tinglits, et ils m'ont raconté une histoire qui va te plaire…

« Cette histoire se passe au premier jour de la création du monde. **Aigle** est le seul oiseau dans le ciel, et il se sent terriblement seul. **Kiiiiiii !** siffle-t-il dans le silence, en lissant ses plumes noires et blanches. Mais personne ne lui répond. Jour après jour, il survole la terre à la recherche d'un ami.

Et voilà qu'un matin, il arrive au-dessus du vaste océan. Il voit quelque chose sur la mer. Pour passer le temps et chasser l'ennui, il s'amuse à courir après cette chose qui lui ressemble. Est-ce un autre aigle ? Un autre oiseau ? **Kiiiiiii kiiiiiii !** Bien vite cependant, **Aigle** se rend compte que c'est son ombre qu'il voit. Il joue pendant un certain temps, mais ce jeu finit pas le lasser. Ce n'est pas amusant de jouer tout seul.

Il va faire demi-tour pour retourner vers la terre lorsqu'il entend un grand splash ! Aigle s'approche de la surface de l'océan pour mieux voir. Il y a une forme énorme, droit devant lui, qui envoie un grand jet d'eau dans les airs. Splish, splash, splouch !

C'est Baleine ! Elle aussi se sent bien seule dans la grande mer bleue.

Quand elle nageait, sous l'eau, elle a vu l'ombre d'Aigle. Elle vient de monter à la surface pour voir de plus près qui est là. Depuis longtemps, elle cherche elle aussi un compagnon de jeu. C'est peut-être son jour de chance aujourd'hui.

Baleine et Aigle sont bien surpris de se voir. D'abord, ils se regardent sans oser se parler. Finalement, comme elle est la moins timide, Baleine demande à Aigle qui il est et d'où il vient. La conversation s'engage et ils passent une partie de la journée à discuter.

Le lendemain, de bonne heure, Aigle revient survoler l'océan. Il a tellement hâte de retrouver son amie. Baleine arrive à son tour, elle vient respirer à la surface.

Ainsi, pendant des jours et des jours, Aigle et Baleine font connaissance. Après quelque temps, ils s'aperçoivent qu'ils sont tombés amoureux l'un de l'autre. Mais comment faire pour se rejoindre ? se demande Aigle. Ils vivent dans des mondes séparés, lui dans le vaste ciel et elle dans le grand océan.

Ce matin-là, le soleil brille très fort. Aigle est là, fidèle au poste. Mais où est donc passée Baleine ? Elle nage, nage, nage vers les grandes profondeurs. Bas, plus bas encore, toujours plus bas. Et puis, finalement, elle se retourne et fonce, fonce, fonce à toute vitesse vers la surface de l'océan. Avec un tel élan, elle peut bondir vers le ciel et enfin rejoindre son amoureux Aigle.

Jour après jour, Baleine répète le même saut. Finalement, un matin, Baleine donne naissance à de très belles petites orques ; elles sont de la même couleur noir et blanc que leur papa Aigle. Et elles sautent hors de l'eau, comme l'a fait leur mère Baleine, pour réunir à jamais les deux mondes.

Depuis ce jour, la terre et l'eau sont inséparables pour assurer la survie de tous les êtres qui vivent sur la terre. »

– Bravo, Hadrien ! s'exclame Élie. Moi aussi j'ai appris une nouvelle histoire ! Elle se passe dans le Saint-Laurent, juste en face de Québec. Elle s'appelle le cap Diamant.

Élie raconte à Hadrien la légende de Yanik le marin et de la sirène qui aime les trésors.
– Merci Élie, je vais la noter et la mettre dans mon sac à histoires. J'ai bien hâte de découvrir dans quelle province et à qui je vais la conter.

Ce conte est adapté d'une légende tinglit. Le peuple tinglit est présent en Colombie-Britannique, au Yukon et en Alaska. Le mot tinglit veut dire « peuple ». L'orque ou épaulard est de la même famille que le dauphin, et comme ce dernier, ce mammifère peut très facilement être dressé. Certains pays comme le Royaume-Uni, l'Australie, l'Inde ont interdit les spectacles d'orques afin d'assurer leur protection.

Le monstre Ogopogo (Colombie-Britannique)

– Allez, rapporte Sacapusse ! fait Hadrien,
en lançant un bâton devant lui.

La branche de bois tourbillonne
dans les airs et tombe au loin
dans le lac Ontario.

Sacapusse se précipite dans l'eau.
Flouch, Flouch, Flouch ! Il nage
pour attraper son bâton,
mais soudain… Ouaf, ouaf, ouaf !

Sacapusse fait demi-tour et revient à toutes pattes vers le quai où Hadrien s'est installé pour pêcher.

– Eh bien, Sacapusse, que se passe-t-il ? On dirait que tu as vu un monstre ! se moque Hadrien.

– Ouaf, ouaf, oua, ouououaf ! insiste le chien, tout tremblant.

– Quoi ? Un monstre, ici, à Toronto, dans le lac Ontario ?… Hum, hum ! Je crois que tu te trompes d'endroit. Tu confonds avec Ogopogo de la Colombie-Britannique.

– Ouaf, ouaf, ouaf ! recommence Sacapusse, tout excité.

– Non, non. Je n'ai pas dit des pogos, Sacapusse… Je parle du serpent Ogopogo… Écoute bien !

« Ce jour-là, je suis en vacances à Kelowna, en Colombie-Britannique, en bordure du lac Okanagan. Je m'amuse à faire ricocher des galets sur les eaux du lac.

Ploc, Ploc, Ploc, Ploc ! Soudain, qu'est-ce que j'entends ? Hum ! Un bruit énorme, effrayant. OUAAAAAAAAA ! Et puis, d'effrayants clacs, clacs, clacs ! Je retiens mon souffle. Et là, brusquement, dans le lac, je vois apparaître une tête. Une tête colossale de chèvre ou… de cheval. Oh, je ne sais pas trop. On dirait que la bête a des cornes et une barbe. Non, je dirais plutôt une moustache. Bref, je suis trop loin pour bien distinguer. Je vois aussi plusieurs bosses à la surface de l'eau ! »

– Ouaf, ouaf, oua, ouououaf ! reprend Sacapusse, en pivotant pour observer le lac Ontario.

« Sa peau est d'un vert très foncé. Il me semble voir des écailles sur tout son corps, poursuit Hadrien. Ses pattes sont jointes vers l'arrière, comme s'il a une queue ou des palmes. Oh ! Misère !… Je crois que c'est Ogopogo.

Tu sais, Sacapusse, autrefois, Ogopogo était un méchant guerrier d'une tribu amérindienne de la région. Puis, un jour, il a tué le vieux sage Kanékan, sans aucune raison. Et il s'est sauvé. Mais crois-moi, les dieux ont eu vite fait de le rattraper. Et pour le punir, ils l'ont transformé en serpent. Ensuite, ils l'ont condamné à hanter le lac Okanagan pour le restant de ses jours… »

À ce moment-là, la canne à pêche que tient Hadrien se plie.
– Hé ! Sacapusse, ça mord ! crie le jeune conteur, tout excité.

Des deux mains, il tient fermement sa canne, puis il tourne doucement le moulinet. Mais la prise au bout de l'hameçon ne se laisse pas faire. Hadrien doit s'agripper fermement à sa canne.

Gla, gla, gla ! font les dents de Sacapusse qui s'est mis à trembler.
– Allez mon chien, cesse de trembler. Crois-tu vraiment que j'ai attrapé un monstre dans ce lac ?

Hadrien tire un peu plus fort, mais *toc*, la ligne se brise.

L'eau s'agite, clapote, et vibre et un poisson d'une taille monstrueuse, un maskinongé, s'enfuit entre deux eaux.
– *Ouaf, ouaf, oua, ouououaf !* aboie Sacapusse, en courant tout autour d'Hadrien.
– *Zut !* J'ai failli faire toute une pêche ! s'amuse Hadrien.

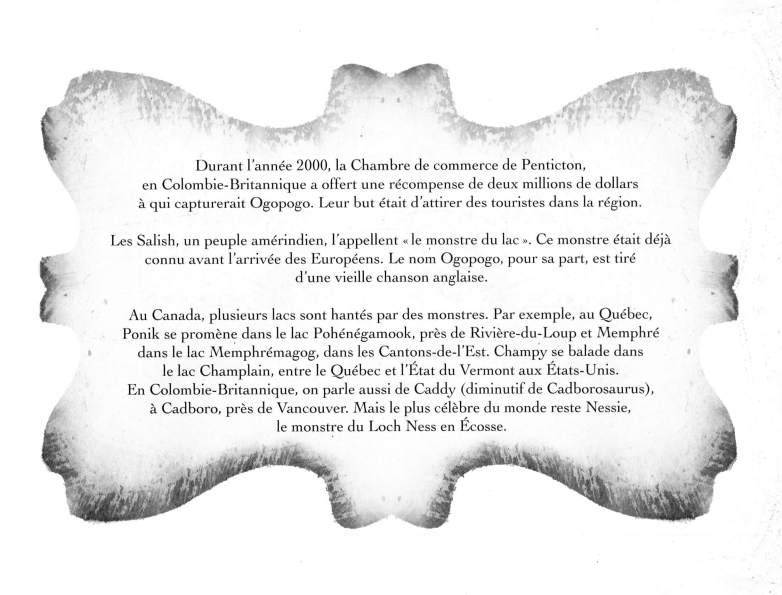

Durant l'année 2000, la Chambre de commerce de Penticton, en Colombie-Britannique a offert une récompense de deux millions de dollars à qui capturerait Ogopogo. Leur but était d'attirer des touristes dans la région.

Les Salish, un peuple amérindien, l'appellent « le monstre du lac ». Ce monstre était déjà connu avant l'arrivée des Européens. Le nom Ogopogo, pour sa part, est tiré d'une vieille chanson anglaise.

Au Canada, plusieurs lacs sont hantés par des monstres. Par exemple, au Québec, Ponik se promène dans le lac Pohénégamook, près de Rivière-du-Loup et Memphré dans le lac Memphrémagog, dans les Cantons-de-l'Est. Champy se balade dans le lac Champlain, entre le Québec et l'État du Vermont aux États-Unis. En Colombie-Britannique, on parle aussi de Caddy (diminutif de Cadborosaurus), à Cadboro, près de Vancouver. Mais le plus célèbre du monde reste Nessie, le monstre du Loch Ness en Écosse.

Sedna (Nunavut)

« Storybook Gardens », lit Hadrien, à l'entrée du parc d'attractions de la ville de London en Ontario.
– Sacapusse, c'est le bon endroit. On nous attend au camp de jour. Vite, dépêchons-nous !
– Ouaf, ouaf, ouaf ! répond son ami le chien.

Hadrien et son compagnon à quatre pattes courent, courent, courent. Tous les enfants sont déjà réunis. Il ne faut pas les faire attendre trop longtemps.
– Me voilà, me voilà ! s'exclame Hadrien. Bien, qui va choisir l'histoire que je vais raconter ?

Une petite fille toute timide s'approche. Elle glisse sa main dans le sac à histoires !
– Talam ! fait Hadrien. Puis, il regarde le papier. Ah, tu as tiré au sort la légende de Sedna, une belle légende inuit. Très bien. Alors, la voici…

« Depuis le matin, Sedna ne cesse de chantonner en passant ses doigts dans sa longue chevelure noire et lustrée.
– Lalalalère-reu, lalalalère-reu, lalalalère-reu !

Elle est jolie Sedna et elle le sait ! Elle se regarde dans son beau miroir et se sourit. Elle adore se regarder. Elle se trouve si belle.

– Sedna ! lui lance son père. Quand vas-tu cesser de t'admirer et penser à te marier. Je suis vieux maintenant. Je ne peux plus aller à la chasse pour te nourrir.

– Il n'en est pas question. Lalalalère-reu, lalalalère-reu, lalalalère-reu ! continue Sedna en peignant ses longs cheveux.

– Aaaaaaaah ! gronde le vieux chasseur. Tu as refusé tous les garçons que je t'ai présentés. Je n'en peux plus. Le prochain qui passe, je te le jure, sera ton mari. J'ai dit !

Quelques jours plus tard, un chasseur vient à passer. Il est laid, mais il porte de beaux vêtements en peau de phoque et d'ours. Il semble très riche. Le père de Sedna le conduit vers sa fille.

– Voilà, c'est lui qui sera ton mari ! J'ai dit !

Sedna pleure, se rebiffe, crie. Mais rien à faire, la noce est célébrée. Et voilà Sedna qui s'éloigne dans le kayak de son mari vers une île lointaine.

Floch, Floch, Floch ! font les pagaies sur la mer qui commence à geler.

Ouin ouin ouin ! pleure Sedna en quittant son village.

Les jours passent et passent. Puis, les semaines, puis les mois. Mais le père de Sedna dort mal. De mauvais rêves viennent lui empoisonner chacune de ses nuits.

Et une nuit, il fait un cauchemar plus épouvantable encore.

Ouin ouin ouin ! pleure Sedna dans son rêve. Elle est toute sale, mal nourrie et ses beaux cheveux noirs sont tout emmêlés.

Est-ce un signe ? Un appel au secours ?

À son réveil, le père regrette de l'avoir mariée à ce chasseur inconnu. Vite, il embarque dans son kayak et rame, rame, rame. Il doit savoir ce qui arrive à Sedna.

Floch, Floch, Floch ! font ses pagaies sur la mer qui commence à geler.

Le vieux père arrive sur l'île et se dirige vers une grotte d'où montent des pleurs.

Ouin ouin ouin !
– Père, vite, aide-moi ! supplie Sedna. Mon mari est un méchant chaman qui me maltraite.
– Viens, ma fille ! Embarque dans mon kayak, dit le père de Sedna. Je te ramène à la maison.

Floch, Floch, Floch ! font les pagaies sur la mer qui commence à geler.

Pendant que le kayak s'éloigne, le chaman revient à la grotte.
– *Grrrrrrrrrr !* grogne-t-il en constatant que Sedna est partie.

Aussitôt, il se transforme en chien et court sur la banquise en grognant très fort : *Grrrrrrrrrr !*
Grrrrrrrrrr ! Grrrrrrrrrr !

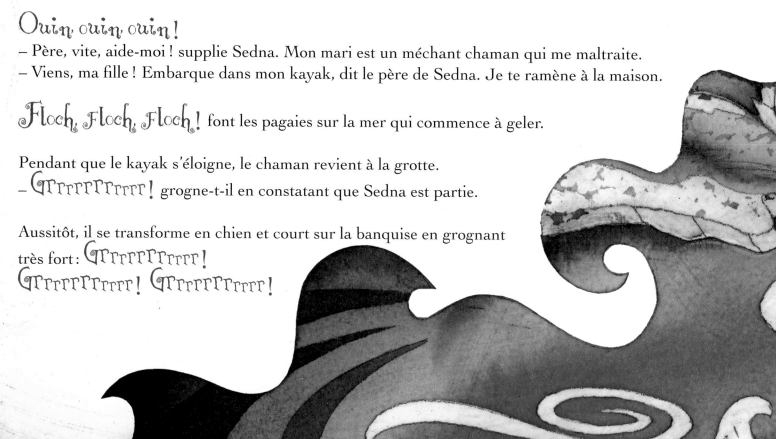

Mais le kayak s'éloigne sur la mer glacée. Alors, le chaman s'élance vers le ciel et se transforme en corbeau. Il survole le kayak en croassant méchamment :

kroâ, kroâ, kroâ!

Comme il est un puissant sorcier, il appelle aussi les esprits du vent.

Chou-hou, chou-hou, chou-hou! siffle le vent furieux.

Scraaatch! fait l'éclair en déchirant le ciel.

Braoum! gronde le tonnerre.

Baoumbadaboum! éclate la foudre.

Les esprits du vent se déchaînent. La mer s'agite. Dans son kayak, le vieux chasseur est terrorisé.
– Je suis désolé, c'est un trop puissant chaman, Sedna! Tu dois retourner auprès de ton mari.
– Ouin ouin ouin! se remet à pleurer la jeune fille.

Mais attention, le corbeau est là, tout près. De ses grandes ailes, il se met à agiter la mer, fort, très très fort, en poussant de grands cris effrayants : kroâ, kroâ, kroâ!

Le vieux chasseur se cramponne à ses pagaies, mais Sedna n'arrive pas à se retenir, et passe par-dessus bord. Plouf!

La jeune fille nage, nage, et nage! Elle réussit à s'accrocher au bord du kayak. Cependant, ses doigts sont si gelés qu'ils tombent un par un dans l'eau. "Ploc! Ploc! Ploc! Ploc! Ploc!"

Mais, ô, surprise! Tous les petits bouts de doigts se transforment instantanément en poissons, en lions de mer, en phoques, en baleines…

Heueu, heueu ! entend-on partout sur la mer gelée. Ce sont des animaux marins qui prennent vie à partir de chaque petit bout de doigt qui tombe.

Sedna continue à nager. Soudain, elle sent ses jambes se transformer en une longue queue. Oh, incroyable ! Elle est devenue une sirène.

Depuis ce jour-là, un très joli chant résonne sous la mer gelée. Wa-houououou ! Wa-houououou ! C'est Sedna qui chante. Sedna est devenue la déesse de la mer.

Dorénavant, seuls les animaux marins ont le pouvoir de la calmer. Ils lui peignent ses longs cheveux noirs pour l'apaiser. Et si on tend bien l'oreille, on l'entend chanter : Wa-houououou ! Wa-houououou ! »

Tout à coup, venus de l'autre côté du parc, de nombreux heueu, heueu ! retentissent.
– Qu'est-ce que c'est ? fait Hadrien.
– Ce sont les phoques et les otaries du parc Storybook Gardens. Ils sont tout heureux d'avoir entendu parler de la déesse de la mer, répond la petite fille, en remettant dans le sac à histoires le petit papier portant la légende de Sedna.

Il existe presque autant de versions de la légende de Sedna qu'il y a de villages inuits.
Les peuples de l'Arctique la connaissent sous le nom de Sedna ou Sanna au nord du Canada et de l'Alaska, Nuliajuk dans les Territoires du Nord-Ouest, Arnakuagsak ou Arnarquagssaq au sud du Groenland et Nerrivik au nord. Elle est l'être le plus puissant de la mythologie inuite.
Elle contrôle les animaux et veille à ce que les Inuits connaissent de bonnes chasses.

L'île du Géant (Ontario)

Aujourd'hui, Hadrien et Sacapusse sont à Saint-François-Xavier, dans la prairie du Cheval Blanc, à l'ouest de Winnipeg au Manitoba.

— Bonjour ! leur lancent joyeusement deux jeunes franco-manitobaines qui s'affairent à nettoyer la statue d'un grand cheval blanc, juste à l'entrée du village. Qui es-tu ?

— Je suis un conteur itinérant, explique Hadrien. Et si vous me racontez l'histoire de ce cheval blanc, en échange je vous dirai une légende moi aussi.

— D'accord ! fait l'une des filles. Mais, tu commences en premier.

Hadrien dépose donc son grand sac à histoires par terre, et il y plonge la main.

— Voyons, qu'ai-je là ? Ah ! c'est l'histoire de l'île du Géant. Un conte de l'est du pays, de l'Ontario.

« C'est la légende d'un jeune dieu guerrier du nom de Kitchikewana. En réalité, c'est un géant d'une taille et d'une puissance colossales.

Mais malheureusement, tout le monde a peur de lui. Les caribous fuient à son approche en poussant des cris rauques : greu, greu, greu, greu !
Les loups détalent la queue entre les pattes : hahou, hahou, hahou !

Et même les poissons, Fleurp, Fleurp, Fleurp, filent se cacher lorsque l'envie lui prend de se baigner dans la rivière. Kitchikewana est vraiment malheureux.

Mais un jour, enfin, il sent son cœur battre très fort dans sa poitrine : bong, bong, bong !
Son regard vient de croiser celui de la jolie Wanakita, et il décide de la demander en mariage.

— Non, non, non ! hurle la jeune fille. Tu es trop grand, tu es trop fort…

Pffffuit! Elle file se réfugier dans sa cabane, et lui ferme la porte au nez : clac !

Cette fois, c'en est trop. Kitchikewana laisse éclater sa colère. ARGN !

Il ramasse une grosse poignée de terre et, de rage, la lance de toutes ses forces devant la maison de Wanakita.

Les traces de ses cinq doigts sont si profondes qu'elles creusent les anses sablonneuses au sud de la baie Georgienne. Comme il a de la terre plein les mains, il les secoue avec force. Flouch, Flouch, Flouch ! Les poussières forment aussitôt des milliers d'îles et d'îlots. Les éclaboussures que font les îles en tombant dans l'eau créent des centaines de lacs.

Malgré tout, Kitchikewana est toujours triste. Alors, il nage vers une île au large. Fffui, fffui, fffui ! Là, il se laisse tomber sur le sol. BANG ! Et il pleure, et il pleure, il pleure. Puis, il lance un dernier cri de découragement teinté de colère : aaaarrrrggggghhhh !

Ce hurlement est si terrible qu'il en fait trembler tout le sol de l'Ontario.

Finalement, épuisé et découragé, le géant Kitchikewana tombe de fatigue. Mais la terre entend son désespoir et l'enveloppe pour lui offrir un tombeau où il peut dormir en paix. Depuis ce jour-là, Kitchikewana repose pour l'éternité dans l'île que l'on appelle maintenant l'île du Géant. »

– Merci ! s'exclament les deux jeunes filles. À notre tour de te raconter la légende du Cheval Blanc, que tu pourras conter quand tu rentreras chez toi.

Hadrien écoute attentivement et note scrupuleusement cette légende avant de la glisser dans son sac à histoires. Il sait déjà dans quelle province il racontera ce conte pour la première fois.

Les cinq anses sablonneuses sont Penetanguishéné,
Midland, Hog, Sturgeon et Matchedash, au nord de Toronto.
Parmi les lacs créés par le légendaire géant, le plus célèbre est le lac Muskoka.

À Penetanguishéné, à l'entrée du parc Rotary, en Ontario, se dresse la statue du célèbre
géant huron Kitchikewana. La statue présente un cercle qui signifie l'éternité, l'encadrement,
l'unité parfaite et des plumes qui symbolisent le courage, la paix et la fidélité.
L'orientation vers le nord du géant symbolise la guérison.

Avec ses 30 000 îles, la baie Georgienne offre le plus grand
archipel d'eau douce de la planète.

Le cap Diamant (Québec)

– Sacapusse, nous voici à Regina, en Saskatchewan, fait Hadrien. Et je veux te montrer quelque chose de surprenant. C'est sur le toit de l'hôtel Wascana, viens !

– Ah, mais je ne laisse personne monter sur le toit, fait le directeur de l'hôtel lorsque Hadrien lui demande de lui montrer la baignoire qui y a été transportée par une tornade au début du XXe siècle.

– Hum ! C'est embêtant, répond le jeune conteur. J'aimerais conter cette histoire, mais je dois m'assurer auparavant qu'elle est vraie.

– Je ne vois qu'une solution. Dites-moi un conte, et s'il me plaît, vous pourrez aller voir la baignoire ! suggère le directeur.

Hadrien ouvre son sac à histoires… Aussitôt, le vent se lève. Des mouettes se mettent à crier dans le ciel. Et par la magie de la voix d'Hadrien, le directeur est transporté sur les rives du Saint-Laurent.

« Yanik est marin, et depuis des années, il parcourt le fleuve du nord au sud, aller et retour. À chacun de ses retours de voyage, il raconte des histoires incroyables au village où tout le monde le connaît et l'aime beaucoup.

Mais Yanik a un rêve secret : aller voir de près la sirène qu'il entend souvent chanter lorsqu'il passe près d'une petite île déserte. Même dans ses songes, il l'entend murmurer de sa belle voix douce.

– Mon trésooooOor ! Viens… viens, mon merveilleux trésooooOor !

Yanik est envoûté. Un beau matin, il décide donc de partir à la recherche de cette mystérieuse sirène. Le fleuve le transporte tout droit jusqu'à la petite île où elle habite.

Cachée entre deux eaux, la sirène aperçoit le bateau du jeune marin. Elle l'interpelle :

– Mon trésooooOor ! Viens… viens, mon merveilleux trésooooOor ! Tu es à moi ! Viens, que je te garde pour toujours.

Yanik ne peut pas résister à la voix de la sirène. Il débarque sur l'île. La sirène se glisse sur la plage et lui murmure :
– Cette nuit, mon trésooooor, tu vas dormir ici près de moi.

Mais Yanik est somnambule, et la nuit, il marche en parlant.
– Mes cheveux, dit-il, possèdent un don merveilleux, ils peuvent reconnaître le nord, différencier bâbord de tribord, et me ramènent toujours jusqu'au port.

La sirène s'affole aussitôt. Elle ne veut pas perdre son trésor. Alors, pendant qu'il dort à poings fermés, elle lui coupe les cheveux et la barbe aussi. À son réveil, le marin est désespéré.
– Misère, j'ai perdu le nord, se lamente-t-il.

Il tourne à droite, il tourne à gauche, devant et derrière. Où est donc le nord ?
En entendant cela, la sirène se réjouit. Son amour restera toujours près d'elle.

Le temps passe, les cheveux de Yanik repoussent et il finit par retrouver le sourire, et surtout le nord.

Mais, une nuit, la sirène le tond encore. Et le voilà redevenu chauve et triste. Il pleure, il se lamente, il supplie…
– De quel côté est tribord ?… Je ne reconnais plus bâbord ! Où est le nord ?
Tant et si bien que sa voix est portée jusqu'à son village.
– Vite, coupons-nous tous les cheveux et jetons-les dans le fleuve, crie la jeune sœur de Yanik. Le courant les portera jusqu'à mon frère. Il pourra en faire une perruque et retrouvera sûrement le chemin pour revenir à la maison.

Depuis ce jour, et ce pendant plusieurs années, tous les 1ᵉʳ mai, les habitants se coupent les cheveux et les jettent dans le fleuve, en espérant revoir Yanik. Mais les années s'écoulent et le marin ne revient toujours pas.

Cependant, un jour, une mouette blanche vient se poser sur l'îlot de la sirène.
– Ha-ha-ha-ha-haah-haah-haah-ha-ha-ha, mais je te reconnais, caquette-t-elle. Tu es Yanik, le marin. J'ai souvent survolé ton bateau. Sais-tu que tout le monde t'attend au village.
– De quel cote est tribord ?... Je ne reconnais plus bâbord ! Où est le nord ? répond tristement Yanik.
– Mon ami, ne te lamente plus. Je vais t'aider ! fait la mouette.

Elle ouvre alors grand les ailes et s'envole en direction du nord.
Ha-ha-ha-ha-haah-haah-haah-ha-ha-ha !

En chemin, elle croise un engoulevent à qui elle raconte les malheurs de Yanik.
– Popehué, popehué ! craille l'oiseau. Je crois que la sirène pourrait laisser partir Yanik si elle possédait un vrai trésor, par exemple un gros diamant.
– Ha-ha-ha-ha-haah-haah-haah-ha-ha-ha !
Je n'ai pas de diamant, fait la mouette.
– Viens demain dans les battures de l'Île-aux-Grues.
Je vais réunir tous les oiseaux des alentours.
Popehué, popehué !
fait l'engoulevent en
fendant les airs.

Le lendemain, lorsque la mouette arrive, les battures sont noires d'oiseaux.

– Hou, hou, hou ! J'ai trouvé la solution, hulule une chouette en clignant des yeux. Vous connaissez tous, là-bas, près du fleuve, cet immense cap tout noir. Eh bien, allons vite y déposer des tas de petits cristaux tout brillants. Au soleil, le cap aura l'air d'un gros diamant.

Pendant ce temps, dans l'île de la sirène, l'espoir est revenu dans le cœur de Yanik. Et comme un bonheur arrive rarement seul, cette nuit-là, la sirène est plus fatiguée que d'habitude et décide de ne pas s'occuper de la chevelure du marin.

Tandis que la sirène se repose, les oiseaux transportent des cristaux sur le cap. Au matin, lorsque le soleil se lève, le gros rocher noir brille comme un diamant. Lorsqu'elle ouvre les yeux, la sirène est éblouie par autant de beauté. Elle veut aussitôt s'approprier le trésor.

– Ce trésoooooor est à moi, rien qu'à moi !

À cet instant, la mouette blanche vient se poser près de la sirène et piaille :

– Ha-ha-ha-ha-haah-haah-haah-ha-ha-ha ! Si tu veux posséder ce gros diamant, tu dois laisser Yanik plonger dans les eaux du fleuve.

La sirène ne répond pas, elle a les yeux fixés sur le cap qui brille, qui brille de mille feux. Yanik comprend aussitôt ce qu'il doit faire. Il se jette dans le fleuve. Et il nage. Il nage. Il nage de toutes ses forces, encouragé par la mouette blanche : Ha-ha-ha-ha-haah-haah-haah-ha-ha-ha !

Enfin, le port est en vue. Yanik est de retour au village. Les habitants tout heureux, lui font une grande fête.

Pendant ce temps, dans l'île, la sirène se met à chanter un chant mélodieux : "Je suis la sirène la plus heureuse, car je possède le plus grand diamant de la terre. Mon trésooooor ! Viens… viens, mon merveilleux trésooooor !" »

– Ha ! ha ! ha ! rigole le directeur. Très belle, vraiment très belle histoire ! Cette sirène apprécierait sûrement notre baignoire sur le toit de l'hôtel. Allez, suivez-moi ! Je vous y conduis.

L'histoire présentée ici est adaptée du récit « Cap Diamant », dans *D'est en ouest, légendes et contes canadiens*, de Pierre Mathieu, éditions des Plaines, Saint-Boniface, Manitoba, 2008.

Le cap Diamant est situé à l'extrémité est de Québec, là où se dresse la haute-ville. Les premiers explorateurs du Québec ont cru y avoir trouvé des diamants. Jacques Cartier en rapporta des échantillons en France pour les faire analyser. Cependant, on se rendit vite compte qu'il s'agissait de quartz, d'où le proverbe « Faux comme un diamant du Canada ».

Un matelot encombrant (Terre-Neuve)

Hadrien et Sacapusse sont à Thickwood Hill, près de Saskatoon en Saskatchewan. Le jeune conteur a entendu parler d'un phénomène étrange à cet endroit. Les arbres y sont tout tordus et entremêlés. Une légende locale dit qu'ils poussent ainsi à cause des extraterrestres qui s'y arrêtent régulièrement pour faire pipi à leurs pieds.

– Ha! ha! ha! s'amuse Hadrien. Aujourd'hui on parle d'extraterrestres, mais autrefois on accusait le diable pour les choses étranges. Ça me fait penser à une histoire qui est survenue à Terre-Neuve il y a bien longtemps. Voyons, je l'ai dans mon sac à histoires.

Il y plonge la main et, aussitôt, le conte du matelot encombrant lui revient en mémoire. Écoute ça, Sacapusse !

« Le capitaine Léon est bien embêté. Il doit partir en mer pour pêcher, mais il lui manque un matelot. Sur le quai de Port-au-Port, ça fait des jours qu'il demande à droite, à gauche, mais il ne trouve personne. S'il ne peut pas partir pêcher, il n'aura pas un sou pour nourrir sa famille. C'est désespérant.

Mais ce matin-là, il décide de jouer le tout pour le tout. Le capitaine Léon saute à terre et lance à son mousse :
– Je vais au village chercher un homme. Et même si c'est le diable, s'il veut travailler, je l'engage !

Après avoir abordé deux ou trois personnes qui refusent son offre, il aperçoit un beau jeune homme. Wow! Il porte un bel habit noir, une chemise blanche, une cravate sombre, et un chapeau melon. Il marche le long des quais en sifflotant : Turlututu, turlututu, turlututu!
– Bonjour, capitaine, salue le jeune homme, en passant près de Léon.

– Vous avez l'air bien embêté, capitaine ! poursuit le jeune homme.
– Ah, c'est parce que je cherche désespérément un matelot pour venir travailler sur mon bateau.
– Ne cherchez plus capitaine, je suis votre homme ! répond le jeune homme avec enthousiasme.
Moi aussi je cherche du travail. Et justement la pêche, c'est mon métier.

Fiou ! Le capitaine est soulagé. Enfin, il a trouvé un matelot.

Une fois l'Étranger embarqué, le navire part vers sa zone de pêche. Mais comme la nuit tombe, Léon décide de ne commencer à pêcher qu'au lever du soleil. En attendant, il va se reposer. L'Étranger surveillera le bateau pendant la nuit.

Le capitaine vient à peine de s'endormir lorsqu'il est réveillé par un bruit étrange.

Ding, dong, ding, dong ! Un carillon ? Il n'en croit pas ses oreilles. Il n'y a jamais eu de cloche sur son navire. Et puis, son bateau est en train de s'enfoncer dans l'eau, comme si ses cales étaient pleines. Pourtant, la pêche n'a pas encore commencé ! Ça, c'est vraiment bizarre !

Léon court vers le pont. Et là, il voit des centaines de petits diables qui s'agitent. Ding, dong, ding, dong ! font-ils en remuant. Ils sont en train de pêcher, et remontent de la morue comme le capitaine n'en a jamais vu. Des tonnes et des tonnes de morues. Les cales se remplissent à toute vitesse.
– Qu'est-ce qui se passe ici ? s'étonne le capitaine Léon en s'adressant à l'Étranger.

Aussitôt, tous les petits diables disparaissent. Pffffuiiiit, pffffuiiiit, pffffuiiiit !
Le capitaine Léon se frotte les yeux. Est-il en train de rêver ?
– Eh bien, tu m'as engagé pour pêcher, et moi quand on me confie un travail, je le fais bien… réplique l'Étranger. Mais en guise de paie, je veux avoir ton âme et celle de ton mousse.
Ha ! ha ! ha !
– Ah oui ! Eh bien, c'est ce qu'on va voir, marmonne le capitaine Léon entre ses dents.
Pour l'instant, on rentre au port pour décharger.

Une fois à Port-au-Port, le capitaine Léon se demande comment se débarrasser de l'Étranger. Une seule personne peut vraiment l'aider : le curé du village. Il se précipite à l'église et raconte son aventure.

— Il faut que tu paies cet étranger, tu n'as pas le choix, répond le curé.

— Oui, mais je n'ai pas un sou… comment le payer ?

— Donne-lui la moitié de la morue que vous avez pêchée. Mais tu vas lui jouer un tour. Voici une petite bouteille d'eau bénite. Vide cette eau dans la mer, juste à l'endroit où tu vas jeter sa part de poisson. Fais attention, vise bien !

Le capitaine Léon revient vers le quai. En cachette, il verse l'eau bénite juste devant son bateau. Puis, il commence à séparer les morues entre lui et l'Étranger.

— Une pour toi, une pour moi, une pour toi, une pour moi, une pour toi, une pour moi…

Il dépose les poissons sur des palettes de bois en deux tas bien égaux. Puis, quand le dernier poisson est posé, il inspire profondément : humffff ! Et d'un grand coup de pied, Paf, il pousse la palette de bois à l'eau. Plouf !

L'Étranger se jette aussitôt à l'eau pour récupérer sa part. Instantanément, il se transforme en boule de feu. Ouf, l'eau bénite a bien fonctionné !

– Aaaaaah, tu m'as bien eu ! entend Léon, tandis que le diable disparaît en fumée. »

Ssshhhhhhhhhhhh ! entend soudain Hadrien. Il relève la tête et regarde tout autour de lui. Mais il n'y a rien ni personne autour des arbres tordus de Thickwood Hill.

– Ouaf, ouaf, ouaf ! fait Sacapusse en levant le nez vers le ciel.

Quelque chose brille entre les nuages.

– Est-ce un avion, une soucoupe volante ou simplement le fruit de mon imagination ? rigole Hadrien, en refermant son sac à histoires.

Cette légende est adaptée d'*Histoire et traditions orales des Franco-Acadiens de Terre-Neuve*, de Gary R. Butler, Éditions du Septentrion, Sillery, Québec, 1995.

Dans les croyances chrétiennes, l'eau bénite est censée apporter une certaine protection. Ainsi, elle est souvent employée pour chasser le diable.

Le nom Terre-Neuve apparaît dans des documents anglais en 1502, sous le nom de New Found Launde, ce qui, en anglais d'aujourd'hui, donne Newfoundland.

Le fantôme de Ryan (Nouveau-Brunswick)

Hadrien est tout heureux. Il est l'un des principaux invités du festival de conteurs de Winnipeg. La salle est remplie d'enfants venus exprès pour entendre ses histoires.

– Sacapusse, dit-il à son chien, à toi l'honneur !

Sacapusse plonge son museau dans le grand sac à histoires et le retire avec un petit papier entre les dents.

– Ah, une histoire de fantôme du Nouveau-Brunswick ! s'exclame Hadrien. Eh bien, allons-y !

Cette histoire se passe il y a fort longtemps, en bordure de la rivière Dungarvon.

« Cui, cui, cui ! font les oiseaux chanteurs. Broua, broua, broua, brame le cerf majestueux. Neuk, neuk, neuk, fait l'écureuil curieux. Gro-ron gro-ron gro-ron ronfle l'ours noir endormi. Bang, bang, bang ! fait la hache des bûcherons. Ssssi, ssssi, ssssi ! lui répond la scie.

La forêt retentit de mille et un petits bruits, ceux des animaux, dérangés dans leur train-train quotidien, et ceux des hommes qui travaillent.

Mais au camp, soudain un autre bruit retentit. Un hurlement terrible à donner la chair de poule.

– Aaaaah !

Un cri horrible. Un cri de mort.

Ryan, le jeune cuisinier, tombe à la renverse, et ne se relève plus. Que se passe-t-il donc ? Qui a crié ? Ryan ou quelqu'un d'autre ? Pourquoi est-il tombé ? A-t-il eu peur ou quelqu'un l'a-t-il attaqué ?

Intrigués, les bûcherons se dépêchent de rentrer au camp pour voir ce qui se passe. Ils cherchent Ryan partout et s'inquiètent. Rien ne mijote dans la marmite, aucune bonne odeur ne frappe leurs narines. Et où est donc passé le jeune cuisinier ?

Ils cherchent encore. Ah non, Ryan ! Il est là devant sa tente, sur le dos.

Les bûcherons se précipitent pour l'aider.
Mais plus rien ne peut le sauver.

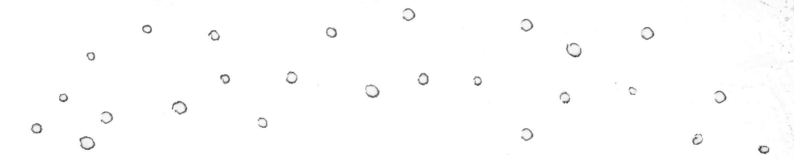

Est-ce pour le voler qu'on l'a assommé ? A-t-il trébuché et s'est-il blessé en tombant ?

Tous les bûcherons sont désemparés. Ils se mettent à pleurer, car tous l'aimaient bien ce jeune homme.

La ville est très très loin. Il faut enterrer Ryan sur place. La neige se met à tomber, très fort. Le vent commence à souffler, furieux. Les oiseaux se taisent, abasourdis. Le cerf ne dit plus rien. L'écureuil silencieux regarde les hommes creuser la tombe de Ryan.

Pendant la nuit cependant, des cris horribles retentissent.
– Aaaaah! Aaaaah! Aaaaah!

Les bûcherons n'arrivent pas à fermer l'œil. Ils sont terrorisés. Est-ce que ce sont les cris du monstre qui a tué Ryan ? Ou est-ce le fantôme du jeune cuisinier ?

Au petit matin, ils sont tous blancs de peur.
– Vite, quittons ce camp. Il est hanté… se disent-ils.

Les bûcherons remballent leurs tentes et leurs affaires.
Pas question de rester une seconde de plus dans
cet endroit maudit.

Les mois passent, puis les années. Mais toutes les nuits,
aux alentours de la tombe de Ryan, des cris retentissent.

Un jour enfin, un homme vient à passer par là. En
voyant la tombe, il s'arrête. Il s'agenouille et
murmure une prière pour le repos de Ryan.

La rivière Dungarvon, elle, continue de couler
doucement. Cui, cui, cui! font les oiseaux chanteurs.
Broua, broua, broua, brame le cerf majestueux.
Neuk, neuk, neuk, fait l'écureuil curieux.
Gro-ron, gro-ron, gro-ron ronfle l'ours
noir endormi.

Cette histoire est adaptée du *Crieur de la Dungarvon*,
du poète néo-brunswickois, Michael Whelan. Une autre version de l'histoire
suggère que les cris sont ceux d'un lynx, terrorisé par les bruits que font les bûcherons
lorsqu'ils vont travailler dans la forêt. L'imagination des hommes, effrayés par les cris
des animaux, aurait fini par leur faire inventer une histoire de mort et de fantôme.

Le nom Nouveau-Brunswick vient du duché de Brunswick en Allemagne,
autrefois une possession du roi d'Angleterre.

La malédiction du carcajou (conte inuit)

Ce soir, Hadrien et Sacapusse ont déposé leur sac à histoires chez un fermier du nord de l'Alberta chez qui ils vont passer quelques jours.

– Venez voir mon élevage ! les invite le fermier. Ce sont des bisons des bois, ils sont en voie de disparition et je suis l'un des seuls de la région à les élever pour les protéger.

– En voie de disparition, soupire Hadrien. Ah, c'est triste ! Beaucoup d'animaux sauvages canadiens sont menacés. Tenez, ça me rappelle l'histoire d'un autre animal de chez nous que nous ne trouvons plus beaucoup. Connaissez-vous la malédiction du carcajou ?

Comme le fermier secoue la tête pour dire non, Hadrien entreprend de lui raconter cette incroyable légende inuite.

« Brrrrr ! Je n'ai jamais connu un froid si vif de toute mon existence, fait la grand-mère d'Innu. La tempête ne s'arrêtera donc jamais.

Elle ouvre le garde-manger. Ouch ! Il est presque vide.
– T'inquiète pas grand-mère, je vais aller à la chasse ! dit Innu, en enfilant son anorak et ses bottes fourrées.

Et le voilà, fonçant tête baissée dans la poudrerie, tirant son traîneau derrière lui.

Flouch, Flouch, Flouch ! font ses raquettes dans la neige épaisse.

Gla, gla, gla ! font les dents d'Innu à cause du froid.

Et il marche, il marche. Il marche depuis plusieurs jours, mais toujours rien. Innu est découragé. Comment va-t-il faire pour rapporter de la nourriture au village ?

Tout à coup, un bruit lui fait tendre l'oreille. C'est un son lointain, mais il le reconnaît : le hurlement des loups. Haououououh, haououououh, haououououh !

Innu se presse. Vite, il doit retourner se mettre à l'abri au village. Des loups affamés, c'est dangereux.

Haououououh, haououououh, haououououh ! Les hurlements se rapprochent.

Vite, vite, Innu, accélère ! se dit-il.

Les flocons tombent très épais, très serrés. Le chasseur ne voit plus à deux pas devant lui.

Soudain, il se fige. Les loups sont là, en cercle, tout autour de lui.

Haououououh, haououououh, haououououh!

Innu tremble de tous ses membres. Glinn, glinn, glinn! font ses os glacés sous son anorak.

Le chef de la meute de loups s'avance.
— Haououououh! dit-il. Je ne te veux pas de mal, chasseur. Tu as faim et nous aussi. Nous devrions nous associer. Viens chasser avec nous. Nous partagerons à parts égales tout ce que nous capturerons.

Innu hésite un peu. Un loup qui parle. Hum ! Ça ne peut être qu'un dieu déguisé. Et puis, chasser avec des loups, ça ne s'est jamais vu dans le Grand Nord. Mais il pense à tous les gens du village qui ont si faim. C'est une offre qu'Innu ne peut pas refuser.
— D'accord ! dit-il.
— Mais attention, chasseur, reprend le chef des loups, tu dois respecter notre accord, sinon, je te lancerai un mauvais sort…
— Je vous donne ma parole, fait Innu.

Les loups repartent à la queue leu leu et le chasseur les suit. Mais la nuit arrive, ce n'est pas le moment de se mettre en chasse. Alors, il passe sa première nuit couché entre les loups pour avoir chaud. Puis, tôt au petit matin, enfin la neige cesse de tomber. C'est le moment de partir.

Le chasseur et les loups capturent beaucoup de proies. Innu est très content, tout le monde au village va pouvoir manger à sa faim.
— Hum ! la nuit tombe, dit Innu au chef de meute, en regardant l'horizon. Je vais encore passer cette nuit avec vous, puis je rentrerai chez moi au lever du soleil.
— Installe-toi confortablement ! lui répond le loup.

Alors, Innu se blottit entre les loups pour avoir chaud. Mais il ne s'endort pas. Il attend. Il a un plan.
– *Grrrron, grrrron, grrrron!* ronflent les loups.

Lentement Innu se lève. Puis, doucement, il dépose toutes les proies dans son traîneau. Enfin, profitant de l'obscurité, il s'enfuit.

Flouch, Flouch, Flouch! font ses raquettes dans la neige épaisse.

Mais le chef des loups n'est pas un jeune louveteau sans expérience. Lui aussi, il veille sur la viande qui doit assurer la survie de la meute. Il bondit sur ses pattes.
– *Haououh!* grogne-t-il, en se jetant devant Innu pour lui barrer le chemin. Tu n'es qu'un voleur et un menteur. Je t'ai dit que nous te jetterions un mauvais sort si tu ne respectais pas notre entente. Eh bien voilà, pour te punir…
– *Bouh, bouh, bouh, bouh!* font tous les loups en chœur.

Aussitôt, Innu sent des pattes lui pousser, et son corps se couvre de poils bruns, ses dents deviennent pointues, des griffes sortent à travers ses moufles…
– *Bouh, bouh, bouh, bouh!* continuent les loups.

Innu vient d'être transformé en *carcajou*. Vite, il abandonne son traîneau et court à toutes pattes vers son village. Mais là, *clac!* Grand-mère lui ferme la porte au nez.

Personne ne le reconnaît. Pire, tous les chasseurs se regroupent et le poursuivent. Un carcajou, c'est bien trop dangereux. Il faut le chasser du village.

Innu n'a d'autre solution que de repartir dans la grande forêt. Il sait que son manque d'honnêteté a fait de lui un animal dont tout le monde a peur. Il ne pourra plus jamais côtoyer les hommes. »

Juste au moment où Hadrien termine son histoire, un fort grognement retentit dans la prairie : Moaaaaah !

C'est un bisonneau qui vient de naître. Il est encore malhabile sur ses pattes, mais bientôt ce sera un magnifique bison.
— Tu vois Sacapusse, grâce à notre ami fermier de l'Alberta, peut-être qu'un jour il y aura de nouveau plein de bisons en liberté dans l'Ouest.
— Et grâce à toi, mon ami conteur, Innu, le carcajou, ne sera jamais oublié, ajoute le fermier.
— Moaaaaah ! confirme le bisonneau.

Le carcajou est considéré comme l'animal le plus féroce de la terre.
Il est très agressif et aime se battre. C'est un animal qui vit en solitaire. Le carcajou
n'est pas un très bon chasseur, il préfère voler les proies des autres mammifères,
notamment des loups. On en trouve surtout en Colombie-Britannique et au Yukon.
Dans le nord du Québec et au Labrador, il est considéré comme
un animal en voie de disparition.

Black Bartelmy (Nouvelle-Écosse)

Depuis quelques jours, Hadrien et Sacapusse sont les invités des Haïdas, en Colombie-Britannique. Leur amie, Keenawii, les a conviés à assister à un grand potlatch, c'est-à-dire une cérémonie où tous les convives se font des cadeaux importants. Keenawii donne un superbe masque à Hadrien.
– Pour te remercier, dit le jeune conteur, je vais te raconter une légende qui met la mer en vedette.

C'est celle de Black Bartelmy, un redoutable pirate qui parcourt les océans à la tête d'une bande de flibustiers.

« Ce jour-là, son navire approche de Cap Fourchu, en Nouvelle-Écosse. Les cales débordent de caisses remplies de bijoux, de gobelets d'or et d'épées richement incrustées de pierres précieuses. Mais voilà que, soudain, le brouillard se lève, et que le vent tempête : houououu, houououu, houououu !

Clic, clic, clic ! font les cordages.

Clac, clac, clac ! répondent les voiles en battant les mâts.

Crac, crac, crac ! proteste la coque de bois du vaisseau pirate.
– Tous à bâbord ! hurle le capitaine Black Bartelmy pour sauver son bateau.
– Tous à tribord, mes canailles ! hurle-t-il de nouveau.

Mais la marée est puissante dans la baie de Fundy. Le navire penche à droite, roule à gauche, tangue en avant, plonge en arrière…

Et brusquement, **bang**, la catastrophe ! Le bateau vient de heurter un gros rocher. La coque se déchire : *scraaaatch* !

– Vite, les canailles, transférez le butin dans les chaloupes ! braille Black Bartelmy.

Les marins se dépêchent. Le trésor ne doit pas sombrer.

Deux chaloupes sont pleines à craquer. Mais il ne reste plus de place pour l'équipage.

Adieu, marins d'eau douce ! se moque Black Bartelmy, en sautant dans un canot. Son second, Tom Brisefer, fait de même dans l'autre. Les deux barques s'éloignent, pendant que le bateau s'enfonce dans la mer.
– Au secours ! À l'aide ! crient les pirates terrorisés.

Mais le vent, *houououu, houououu, houououu,* recouvre leurs cris.

Black Bartelmy et Tom Brisefer rament et rament encore. Toute la nuit, ils rament. Enfin, la côte est en vue. Les deux flibustiers débarquent et, vite, cherchent un endroit pour enterrer le trésor.

– Voilà qui fera l'affaire ! s'écrie Black Bartelmy en découvrant une grotte.

Les deux complices se hâtent de transporter les caisses dans la caverne. Puis, ils bloquent l'entrée avec de grosses pierres.

– Ah ! Voilà une bonne chose de faite ! fait Black Bartelmy en se frottant les mains.

Puis, sans un mot de plus, il dégaine sa longue épée et la passe au travers du corps de Tom Brisefer.

– *Haaaaaah, haaaaaah, haaaaaah !* ricane-t-il méchamment en s'éloignant. Le trésor est pour moi, pour moi tout seul. Je suis le pirate le plus mauvais de la terre. *Haaaaaah, haaaaaah, haaaaaah !*

Black Bartelmy comprend qu'il doit quitter cet endroit où il ne trouvera rien à manger. Il reviendra chercher son trésor plus tard. Il se met donc en route, en longeant la côte dans l'espoir de trouver un port.

Il marche, il marche, il marche depuis des heures lorsque, brusquement, sans avertissement, il sent le sol s'ouvrir sous ses pieds. Et il glisse, il glisse, il glisse.

– *Aaah,* au secours, à l'aide !

Il crie, il se débat, mais rien à faire, les sables mouvants sont en train de l'aspirer.

– *Piaaaaah, Piaaaaah, Piaaaaah !* ricanent les mouettes au-dessus de sa tête.

Black Bartelmy ne peut rien faire. La terre lui fait payer sa méchanceté et l'engloutit à tout jamais.

Quelques mois plus tard, par une nuit d'orage, le gardien du phare de Cap Fourchu voit des lueurs étranges sur la mer.

– Un navire en perdition ! se dit-il.

Vite, il sonne l'alarme. *Drelin, drelin, drelinnnnn !* fait la cloche du phare.
Les sauveteurs lancent leur embarcation dans les eaux glacées. Ils s'approchent, mais n'en croient pas leurs yeux. Juste là, sur les flots, danse un galion aux voiles en lambeaux.

Clic, clic, clic ! font les cordages.

Clac, clac, clac ! répondent les voiles en battant les mâts.

Crac, crac, crac ! proteste la coque de bois du vaisseau.

Et, sur le pont, les sauveteurs distinguent des caisses qui laissent échapper des pièces, des gobelets d'or et des épées incrustées de pierres précieuses. Tout à côté du trésor, un homme les défie en agitant son sabre. Et soudain, il se met à rire : *haaaaaah, haaaaaah, haaaaaah !*

Mais, *bang*, leur embarcation heurte un gros rocher noir. L'équipe de sauvetage vient de chavirer.

Depuis des années, le même scénario se répète encore et encore. Si bien que du côté de Cap Fourchu, on dit que le fantôme du pirate continue de hanter les lieux. »

Keenawii applaudit Hadrien : *clap, clap, clap !* Tout autour d'eux, dans le village haïda, le grand potlatch se poursuit. Tous échangent des cadeaux, des chansons, des danses, en partageant un succulent repas. Même Sacapusse participe à la fête : il a donné son gros nonosse au chien de Keenawii.

Cette légende constitue la trame d'un roman de Jeffery Farnol (1878-1952), intitulé *Black Bartlemy's Treasure*, le second tome d'une trilogie sur les pirates.

Cette version est adaptée de *Black Bartelmy*, un conte répertorié dans *Spooky Canada*, par l'auteure américaine S. E. Schlosser. Les légendes de pirates, de trésors, de naufrages, de fantômes sont nombreuses en Nouvelle-Écosse et dans les provinces maritimes.

L'été des Indiens

(légende amérindienne)

Aujourd'hui, Hadrien et Sacapusse sont à Keno, au Yukon. Ils sont invités aux célébrations du solstice d'été. Ici, au nord du cercle arctique, le soleil ne se couche pas. Il fait clair pendant vingt-quatre heures. Donc ce jour-là, les festivités vont durer tout le jour et toute la nuit.

Pour l'occasion, plusieurs conteurs sont venus des quatre coins du Canada pour une petite compétition amicale qui va se dérouler au pied d'un poteau indicateur montrant le kilométrage qui sépare Keno de quelques autres villes du monde. C'est maintenant au tour d'Hadrien de donner son spectacle. Il plonge sa main dans son sac à histoires.

– Ah ! voilà qui tombe bien ! s'exclame-t-il, en lisant le papier qu'il a tiré. Pour célébrer la nature, je vous propose une légende amérindienne tout à fait appropriée.

« Père des Airs a quatre fils. Un jour, il décide de distribuer une part de sa puissance à chacun d'eux.

– Wabun, tu régneras sur les vents de l'Est ; toi, Shawondasee, sur les vents du Sud, et toi, Kabiboonoka, sur les vents du Nord.

– Et moi alors ? demande son dernier-né, Manabozho qui n'a rien reçu.

– Hum ! Je n'ai rien prévu pour toi, lance Père des Airs.

– Ah non ? Ça ne va pas se passer comme ça ! tonne Manabozho. J'ai droit à ma part d'héritage, moi aussi.

Père des Airs est têtu. Il refuse de lui donner quoi que ce soit.

– Cesse de tempêter. Non, non et non, tu ne recevras rien !

Mais Manabozho est aussi entêté que son père. Il insiste, insiste encore et encore.

– J'ai droit à ma part. Pourquoi je n'ai rien ? Pourquoi tu me pénalises ? Pourquoi mes frères en ont-ils plus que moi ?

Et Pourquoi ci ? Et Pourquoi ça ?

Père des Airs est à bout de patience. Il n'en peut plus de tous ces pourquoi. Alors, il se tourne vers son troisième fils et lui lance :

– Kabiboonoka, tu donneras une partie de ta puissance à ton frère. Ainsi, cette tête de mule pourra régner sur les vents du Nord-Ouest qui apportent le froid et la pluie.

Tous les frères sont enfin satisfaits et dirigent leurs vents avec habileté. Enfin, presque tous, parce que Shawondasee, très vite se montre paresseux. Il n'aime pas voyager et ses vents restent immobiles. Il garde toujours les yeux mi-clos et passe son temps à somnoler. Il se contente de pleuvioter ou de brumasser en rêvassant.

L'automne, c'est pire, il soupire : Pffffffft, et laisse ses vents doux s'amuser à leur fantaisie. Mais un matin, l'un de ses vents lui apporte une voix claire et pure : lalalala !

Qui donc chante ainsi dans la prairie ? se demande-t-il. Il ouvre un œil, puis l'autre. Et les referme très vite. Il n'en croit pas ses yeux.

Là, dans la prairie, court la plus belle fille qu'il ait jamais vue. Une fille aux cheveux d'or. Elle est si jolie avec ses boucles blondes que le cœur de Shawondasee palpite en rafales : bangbang, bangbang, bangbang !

Cependant, il est paresseux et hésite à se lever pour aller à la rencontre de la fille aux cheveux d'or. Il soupire Pffffffft ! Et un vent doux balaie la prairie.

Le lendemain, au petit matin, il aperçoit encore la jeune fille. Cette fois, elle est entourée d'un ruban de brume blanc comme neige. Aussitôt, la bourrasque agite son cœur : bangbang, bangbang, bangbang ! À coup sûr, c'est son frère Kabiboonoka qui lui a offert une de ces écharpes que les vents du Nord ont l'habitude de tricoter pour l'hiver.

Shawondasee est très jaloux et se met à crachiner. Ploc, Ploc, Ploc ! font ses gouttes de pluie glacées.

Puis, pour tenter d'attirer la jeune fille, Shawondasee, halète, souffle, respire très fort : Pffffffft ! Peuf, Peuf, Peuf !

Finalement, à cause de sa respiration de plus en plus forte, le ciel se remplit de fils d'argent. Avec ces fils, c'est sûr, il va la retenir.

Mais, au bout de quelques jours, lorsque les fils d'argent s'évaporent, Shawondasee constate que la belle fille aux cheveux d'or a disparu emportant avec elle les aigrettes des pissenlits.

Depuis, chaque automne, croyant revoir la jeune fille courir dans les prés comme la première fois qu'il l'a vue, Shawondasee continue de haleter doucement sur les terres du Nord, à la veille de l'hiver. Pffffffft! Peuf, Peuf, Peuf! Et ainsi, pendant quelques jours, son souffle chaud ramène les beaux jours. C'est alors que l'on connaît la saison que l'on appelle l'été des Indiens. »

À peine Hadrien a-t-il fini son histoire qu'un concert d'applaudissements retentit. Sa façon de raconter la légende de l'été des Indiens lui vaut des félicitations de tout l'auditoire. Bravo, bravo! Encore, encore! entend-il. Ouaf, ouaf, ouaf! ajoute Sacapusse, très fier de son maître.

Cette légende est adaptée de *The myth of Hiawatha: and other oral legends, mythologic and allegoric, of the North Americans Indians*, de Henry Rowe Schoolcraft, éd. J.B. Lippincott & Co, Philadelphie, 1856.

Pour avoir un été des Indiens, il faut une certaine période de temps exceptionnellement chaud après une période de gel. Il ne pleut pas ou presque pas, les vents sont légers et on peut voir un peu de brouillard le matin. Les températures durant le jour sont près de la normale, mais les températures de nuit sont plus élevées de 4 à 6 degrés que la normale. Et finalement, il faut que ces conditions durent pendant au moins 3 jours de suite. L'été des Indiens peut survenir en octobre ou en novembre.

La hache (Nouvelle-Écosse)

– Sacapuuuuusssssse!
Sacapuuuuussssse! crie Hadrien
depuis de nombreuses minutes.
Où es-tu? Sacapuuuuussssse!

– Ouaf, ouaf, ouaf! répond
enfin le chien, en sortant tout couvert
de poussière d'une vieille mine d'or
abandonnée de Dawson City, au Yukon.

– Ouf! Te voilà enfin! le gronde
gentiment Hadrien. Ne rentre
plus dans les mines abandonnées.
– Ouaaaaf!
– Ah! Tu as été attiré par quelque
chose qui brille? Hum! Il faut être
prudent, Sacapusse. Montre-moi ce que
tu tiens, là, entre tes dents?

Sacapusse dépose un vieux pic tout rouillé aux pieds de son maître.

– Hum ! L'outil d'un mineur d'autrefois. Tiens, ton aventure me fait penser à une histoire de la Nouvelle-Écosse. Écoute bien, Sacapusse.

« Grégoire est un pauvre bûcheron. Il travaille très dur tout le jour pour gagner sa vie. Un soir, très tard, alors qu'il fait déjà nuit noire, il revient au village en trébuchant de fatigue.

Au moment où il passe près de la fontaine qui coule à la limite du village, il entend un chant merveilleux : Mironton tontaine ! Mironton tontaine !

Il s'approche, mais Ploc, sa hache tombe à l'eau et disparaît au fond du grand bassin.

Grégoire se penche au-dessus de l'eau. Mais il est incapable de voir sa hache, car la source est très profonde. Désespéré, il se met à pleurer : ouin, ouin, snif, snif, hiiii !

Il est inconsolable. Il a besoin de sa hache. Sans elle, il ne pourra plus travailler pour gagner sa vie, et il est bien trop pauvre pour en acheter une autre. Ouin, ouin, snif, snif, hiiii !

Intriguée par ces pleurs, une mignonne fée des eaux pointe son nez entre les nénuphars.

– Que se passe-t-il ? Pourquoi pleures-tu ? demande-t-elle à Grégoire.

– Ah ! Un grand malheur ! fait le pauvre bûcheron. Ma hache est tombée dans la fontaine et je n'arrive pas à la récupérer. Sans elle, je ne peux plus travailler et gagner ma vie.

– Ne pleure pas, je m'en occupe !

La jolie fée des eaux plonge. Après un certain temps, elle remonte avec une superbe hache en or qu'elle tend à Grégoire.

– Et voilà !

– Oh non, ce n'est pas la mienne ! répond le bûcheron, découragé.

La fée des eaux rejette la hache en or à l'eau et plonge à nouveau.

Lorsqu'elle remonte, plusieurs minutes plus tard, elle brandit une splendide hache en argent.

– Non, non ! Ce n'est pas à moi ! soupire Grégoire.

Pour la troisième fois, la fée des eaux retourne au fond de la source. Le temps passe, passe, passe… et finalement elle remonte avec une vieille hache en fer, toute rouillée et abîmée.

– Oui, oui, oui ! s'exclame Grégoire. Merci, merci, merci…

Tout heureux, il retourne au village, en chantant la chanson de la fée des eaux :
Mironton tontaine ! Mironton tontaine !

– Tu es de bien belle humeur ! lui lance Anatole, le forgeron, lorsque Grégoire passe devant sa forge.

Le bûcheron s'arrête et raconte ce qui lui est arrivé au bord de la fontaine.

En entendant cette histoire étonnante, Anatole le forgeron se dit que Grégoire est un idiot. Il aurait dû prendre la hache en or ou celle en argent offerte par la fée des eaux. Lui, il ne laissera pas passer une si belle occasion.

Dès que Grégoire est rentré chez lui, Anatole se précipite vers la fontaine avec une vieille hache rongée par la rouille.

Il prend son élan, et Ploc, il la jette à l'eau. Puis, il fait semblant de pleurer : ouin, ouin, snif, snif, hiiii !

Au bout d'une minute ou deux, la fée des eaux apparaît entre deux nénuphars.
– Pourquoi pleures-tu ainsi ? demande-t-elle au forgeron.
– Ma vieille hache est tombée dans l'eau. Pouvez-vous aller me la chercher ?

La fée des eaux plonge, puis revient rapidement avec une merveilleuse hache dorée incrustée de diamants.
– Est-ce bien celle-ci ? demande-t-elle à Anatole, dont les yeux brillent de convoitise.

Le forgeron ne répond rien. Il se précipite pour s'emparer de la hache. Mais la fée des eaux se rejette en arrière et Anatole tombe tête la première dans la fontaine, et coule à pic. »

– Tu vois, Sacapusse, c'est pour ça que je préfère que tu n'entres pas dans les vieilles mines abandonnées pour tout l'or du monde ! Je ne voudrais pas que tu disparaisses dans les profondeurs parce que tu aurais été attiré par quelque chose qui brille, conclut Hadrien en caressant la tête de son chien.

Adapté d'un conte recueilli auprès d'un pêcheur acadien,
par Antonine Maillet, à l'île des Surettes, en Nouvelle-Écosse. Ce conte serait
lui-même adapté de *Couillatris le bûcheron*, de François Rabelais (v.1483-1553)
et serait probablement passé dans le folklore acadien
avec la colonisation de la Nouvelle-France.

Cy à Mateur (Nouvelle-Écosse)

Il fait un vent à décorner les bœufs à Yellowknife, dans les Territoires du Nord-Ouest.

– Wou-ou-hou-hour ! siffle le malicieux vent du Nord.

– Haaaaa ! crie Hadrien, en sentant une bourrasque lui arracher son sac à histoires.

Le tourbillon l'emporte. Le sac monte, monte, monte… Tourne, tourne et tourneboule… File, file et se défile ! Hadrien et Sacapusse courent sans pouvoir le saisir.

Enfin, un arbre généreux tend une de ses branches et l'agrippe. Mais le sac à histoires s'ouvre et un petit papier s'envole en tourbillonnant.

Sacapusse prend son élan et saute, saute de toutes ses forces. Ouf ! Il tient le papier très fort entre ses dents.

– Merci Sacapusse ! lâche Hadrien tout essoufflé. Voyons quelle histoire intéresse tant Monsieur le Vent. Ah, je vois ! C'est un conte acadien qui parle d'un personnage étrange. Écoutez bien Monsieur le Vent, voici l'histoire de Cy à Mateur, un personnage bien connu de Meteghan, en Nouvelle-Écosse.

« Cy est un petit homme qui a un air étrange avec sa redingote noire et son chapeau melon. Mais c'est surtout un joyeux luron qui adore s'amuser, particulièrement aller danser.

Deux pas à droite, deux pas à gauche!
Un tour au centre et un autour!
Bras dessus, bras dessous, et swingue
la compagnie!

Cy est si bon danseur qu'il ne manque jamais un bal, peu importe où celui-ci a lieu.
Et comme il assiste à toutes les fêtes, des rumeurs commencent à courir sur son compte.
Ti-galop, ti-galop, ti-galop ! Ça court vite les rumeurs.

On a vu Cy par ici, on l'a vu par là ! Passe par ici, passe par là ! Il paraît qu'il peut aller d'un bal à un autre, en filant plus vite que vous, Monsieur le Vent.
– Je l'ai vu monter sur une planche de bois pour traverser la baie de Fundy à une vitesse phénoménale, jure Madame Lajacasse.
– Il connaît une phrase magique ! Il dit : "Ça va le diable !" et le vent le pousse de toutes ses forces, assure Madame Labavarde.

L'autre jour, il a dit : "Je suis si fatigué, si le diable passait, j'embarquerais dessus".

Et, soudain, un grand cheval blanc a surgi de nulle part, et *tagada, tagada, tagada,* l'a emporté au loin, murmure Monsieur Lecancan.

– Je vous assure, Monsieur le Vent, que Cy à Mateur aime bien que ses voisins pensent qu'il a des dons surnaturels. Et comme il connaît quelques tours de magie, eh bien, dans les soirées, *acabris, acabras, acabram,* il fait sortir des lapins de son chapeau melon.

On dit aussi qu'il peut se transformer en animal. Si un ours vient fouiller dans les poubelles du village, personne n'ose le chasser. Imaginez, Monsieur le Vent, si jamais c'était Cy à Mateur transformé en ours et qu'il était blessé accidentellement.

D'ailleurs, un jour, un âne s'est tordu la patte sur une grosse pierre. Eh bien, le lendemain, Cy à Mateur avait mal au pied et n'a pas pu danser. "C'est bien la preuve, ça !" dit Madame Lajacasse.

Au village, tous sont convaincus que Cy a d'immenses pouvoirs. Lui, ça ne le dérange pas trop ce que les gens disent de lui. Au contraire, tant qu'on pense qu'il est un peu sorcier, il inspire de la crainte, et on ne l'embête pas. Il profite de la vie, est invité partout et peut parcourir la région du nord au sud et d'est en ouest.

Pendant plusieurs années, Cy à Mateur peut donc s'amuser, aller au bal, faire de la magie pour divertir les gens… Mais au bout de quelque temps, ses trucs et ses tours commencent à ennuyer tout le monde. Le vieux magicien n'amuse plus personne. Un beau matin, sans argent, abandonné de tous, toc, toc, toc, il est obligé d'aller cogner à la porte de la Maison des Pauvres pour qu'on lui offre l'hospitalité.

Cy à Mateur ne va plus au bal, mais sa légende continue de courir les chemins de la Nouvelle-Écosse.
– Wou-ou-hou-hourf ! siffle le malicieux vent du Nord.
– Ah, merci Monsieur le Vent ! s'exclame Hadrien. Quoi ?
– Wou-ou-hou-hourf ! reprend le vent.
– Ah ! vous dites que vous allez vous retirer et laisser Mesdames les Aurores Boréales nous offrir un beau spectacle. C'est très gentil de votre part. »

Tu vois Sacapusse, nous sommes au bon endroit. Ce soir, le ciel de Yellowknife sera parcouru de lumières vertes, rouges et mauves, pour nous remercier de notre belle histoire.

Cy à Mateur (1848-1919) est un véritable personnage de Nouvelle-Écosse. Il s'appelait Célestin Trahan, fils de Rosalie et d'Amateur Trahan. Il était cordonnier. Nellie, sa femme, une Américaine du Massachusetts, était repartie vivre avec leur fils Jérôme près de Boston parce qu'elle ne s'habituait pas à la vie en Nouvelle-Écosse. Cy, très triste de se retrouver tout seul, a commencé à fréquenter les bals et à faire de la magie. Très vite, on a commencé à dire qu'il avait vendu son âme au diable pour être un si bon danseur, car à cette époque-là, s'amuser, rire et danser était mal vu.

Le cheval blanc (Manitoba)

Le traîneau à chiens conduit par Iluq file sur la banquise. Brusquement, le guide inuit fait arrêter les chiens. Là, en travers de leur chemin, Hadrien et Sacapusse voient distinctement des grosses traces de pattes dans la neige. Ce sont celles de Nanuq, l'ours blanc, le seigneur du Nunavut.

– Iluq, toi qui aimes tant les animaux, tu vas adorer cette histoire que je t'ai rapportée du Manitoba ! s'exclame Hadrien. Ici, ce sont les ours blancs qui sont les rois, mais dans la prairie, c'est un cheval blanc…

« Goutte de rosée est la fille adorée de son père, Grand Renard, le chef d'une tribu assiniboine du Manitoba. Goutte de rosée est tellement jolie que plusieurs hommes aimeraient bien l'épouser.

– Ce sera moi ! dit Élan Valeureux, un jeune guerrier cri.

– Pas question, proteste Sombre Corneille, un jeune chef sioux. Ce sera moi !

– Humpf ! Lequel choisir ? soupire Goutte de rosée. Ce n'est pas facile. Tous les deux sont beaux et braves.

Et puis, les Sioux sont des amis de longue date des Assiniboines, mais les Cris sont des ennemis avec qui Grand Renard aimerait bien faire enfin la paix.

– Humpf ! soupire encore Goutte de rosée. Que faire, que faire ?

– Invitons-les et demandons-leur ce qu'ils peuvent t'offrir d'exceptionnel, décide Grand Renard.

Dès le lendemain, les deux prétendants se présentent au village.

Sombre Corneille étend aux pieds de Goutte de rosée des colliers de perles colorées, des couvertures tissées, des vêtements brodés, de belles ceintures.

Mais Élan Valeureux a eu la même idée. Ses présents sont presque semblables à ceux du Sioux.

Goutte de rosée secoue la tête. C'est vraiment difficile de décider entre les deux guerriers.

Mais, son père Grand Renard, lui, semble avoir une idée derrière la tête. Il ne jette même pas un coup d'œil aux beaux cadeaux. Non, ses yeux ne peuvent se détacher du magnifique cheval blanc d'Élan Valeureux.
– Brrrrrrrr ! fait le cheval en s'agitant.

Ce cheval, tout le monde en parle depuis des semaines dans la plaine. C'est un animal rapide et puissant. On dit qu'il est presque surnaturel. Grand Renard le veut.

Les discussions durent longtemps, puis les deux prétendants repartent chacun dans leur tribu.
– J'ai fait mon choix, dit enfin Grand Renard. Tu épouseras Élan Valeureux, le guerrier cri.
Il t'offre son splendide cheval blanc.

Clap, clap, clap ! Toute contente, Goutte de rosée tape dans ses mains. Élan Valeureux est un beau guerrier, et en plus, elle va avoir le cheval blanc… C'est merveilleux !

Vite, il faut organiser le mariage. Mais tous les Assiniboines ne sont pas heureux du choix de Grand Renard. Le chaman, lui, est même très fâché, car Sombre Corneille est son cousin.

Lorsque la nuit tombe, le chaman quitte le camp et se rend chez les Sioux. Il leur raconte que Grand Renard a trahi leur amitié.

Quelques jours plus tard, enfin, c'est le mariage. Élan Valeureux se présente chez les Assiniboines, monté sur un cheval gris. Il tient son cheval blanc par la bride.

Mais alors que la fête se déroule, un nuage de poussière apparaît à l'horizon. Puis, un cri parcourt le village : "Les Sioux, les Sioux nous attaquent !"

Aussitôt, Grand Renard lance à sa fille et à son nouveau mari :
– Vite, filez ! Sauvez votre vie…

Élan Valeureux bondit sur son cheval gris. Goutte de rosée enfourche le cheval blanc. Et ils filent, filent, filent dans la plaine. Il se cachent derrière les rochers, se faufilent entre les arbres, sautent par-dessus des rivières…
Mais le cheval gris se fatigue.
Hiiii, hiiii, hiiii !
Il hennit douloureusement.

Élan Valeureux doit ralentir.
– Va-t'en Goutte de rosée !
Sauve-toi !
– Non. Tu es mon mari, je reste avec toi ! répond-elle, en retenant son cheval.

Tout à coup, ils entendent dans la plaine résonner un grand bruit, comme le roulement du tonnerre : rrrrrrrr ! Une troupe à cheval approche. Ah ! Malheur, ô désespoir ! C'est Sombre Corneille et ses guerriers.

Fffffou, fffffou, fffffou ! font les flèches sioux qui percent le silence.

Touchés, Goutte de rosée et Élan Valeureux tombent chacun de leur cheval. Haaaaaaah !

Tagada, tagada, tagada ! Les Sioux s'élancent derrière le cheval gris et le cheval blanc qui fuient sans cavalier dans la grande prairie.

Au bout d'un moment, les Sioux réussissent à attraper le cheval gris. Mais le cheval blanc, lui, est beaucoup trop rapide pour se laisser capturer. Les guerriers abandonnent.

Les années passent. Les Sioux, les Cris et les Assiniboines voient souvent le cheval blanc se promener dans les plaines du Manitoba. Parfois, il court, sa crinière et sa longue queue blanches flottant au vent. Tagada, tagada, tagada !

Superstitieux, les Amérindiens ne veulent pas l'approcher. Ils disent que l'âme de Goutte de rosée est passée dans le corps du cheval. Depuis ce jour-là, les Assiniboines appellent ce coin des prairies manitobaines, la "Prairie-du-Cheval-Blanc". »

– Là, regarde Hadrien ! dit Iluq en désignant une grosse forme blanche qui remue sur la banquise…
– Arararar ! fait la forme, en se levant sur ses pattes arrière.
– Ouaf, ouaf, ouaf ! répond Sacapusse, en remuant la queue.
– C'est Nanuq, le chef des ours polaires, ajoute Iluq. Il est venu vous souhaiter la bienvenue au Nunavut.

Dans toutes les cultures, le cheval blanc est vu comme une créature fantastique. On trouve des contes mettant en scène des chevaux blancs en Grèce, en Inde, en Iran, en France, aux Philippines, etc.

Au Québec, à Mont-Saint-Hilaire, on raconte l'histoire d'Eau Blanche, le cheval de glace, et à Montréal, à Pierrefonds, au bord de la rivière des Prairies, on trouve les rapides du Cheval Blanc. Un fougueux cheval blanc aurait sauté dans ces rapides tandis que le traversier de l'île Bizard qui le transportait partait à la dérive.

Le loup de Lafontaine (Ontario)

Il fait un froid polaire aujourd'hui à Iqaluit au Nunavut. Hadrien et Sacapusse sont bien contents d'être au chaud au centre communautaire où ils vont présenter leur spectacle de contes.

Avant de commencer, Hadrien étale tous ses papiers devant lui.
– Hum ! Hum ! Quelle histoire vais-je choisir ?

Mais Sacapusse, lui, a une autre idée. Il aimerait mieux jouer. Il s'approche tout doucement, et Pffft, il repart en courant avec une poignée de petits papiers qu'il se met à disperser dans la salle.
– Sacapusse ! Donne-moi ça ! crie Hadrien en riant, et en courant derrière son chien.
– Ouaf, ouaf, ouaf ! fait son ami en secouant la tête, et en s'éloignant un peu avec un dernier petit papier.
– Bon, d'accord ! Montre-moi ce que tu tiens. Ah ! C'est l'histoire du loup de Lafontaine, un conte qui nous vient de l'Ontario francophone, de la Huronie. Très bien. Ce sera donc celle-ci que je vais conter aujourd'hui.

Tadam, tadam !
Mesdames et messieurs, petites filles et petits garçons, le spectacle commence !

« Floch, Floch, Floch ! fait le traîneau en glissant dans la neige molle. Cric, crac ! Cric, crac ! ajoute la glace de la baie Georgienne en craquant sous le vent. Il est tard, il fait sombre. Un couple se hâte vers sa maison. Quand tout à coup, un hurlement retentit dans la nuit : aaaaahouououou !

Vite, l'homme se dépêche de rentrer les chevaux à l'écurie.

Pfouitt ! Il sent une ombre se glisser derrière lui. L'homme sursaute. Regarde à gauche. Regarde à droite. Rien. Il rentre chez lui à toute vitesse.

– Un loup ?! Tu hallucines mon pauvre ami ! se moque sa femme. Allez, viens dormir.

Le grand manteau de la nuit enveloppe la maison. Tout est calme maintenant.

Au petit matin toutefois, un autre cri retentit : aaaaah !

Cette fois, c'est Colbert, l'éleveur de moutons. Il crie de désespoir. Il vient de trouver son troupeau anéanti.

Colbert se précipite chez son voisin le plus proche, Philéas. Les deux hommes retournent à l'enclos pour comprendre ce qui s'est passé.

Là, juste là, dans la neige molle, il y a des traces. Pas de doute possible. Ce sont celles de chiens. De grands chiens même ! Comme ceux… oh, oh de François, le pêcheur.

Il faut dire qu'à cette époque-là, les gens ne s'entendent guère à Lafontaine. D'un bord, il y a les riches et de l'autre, les plus pauvres. Ces gens-là ne se parlent pas et ne se fréquentent pas. Et pire même, ils se méfient les uns des autres.

Donc, les deux fermiers Philéas et Colbert, tout énervés, se précipitent chez François. Mais le pêcheur les rassure :
– Brutus et Boris n'ont pas quitté leurs cabanes au fond du jardin.
– Hum ! Hum ! Colbert n'est pas convaincu. Pour lui, aucun doute, les deux gros chiens sont les coupables. Ils doivent être enlevés à leur propriétaire.
– Allez hop, confisqués !

La journée passe, puis la nuit revient. Aaaaahououououou! entend Colbert près de sa ferme. Nuit après nuit, le même hurlement se reproduit.

Aaaaahououououou!

Il n'y a plus de doute cette fois. C'est bien un loup qui rôde autour des fermes. Que l'on soit riche ou pauvre, la bête ne fait aucune différence. Tous les troupeaux y passent.

Tous les fermiers de la région de Lafontaine sont sur le qui-vive. Des chasseurs amérindiens se joignent même à eux pour pister la bête maléfique.

Mais il y a quelque chose d'encore plus surprenant dans cette histoire. C'est que si ce loup-là ne se montre pas aux adultes, il aime bien par contre se faire voir des enfants. Lorsque les plus jeunes le rencontrent en revenant de l'école, ouh ouh ouh ! fait-il en jouant à cache-cache avec eux. Il leur a même inspiré des comptines que les enfants chantent tout le long du chemin qui les ramène vers leur maison.

– Loup, y es-tu ? Loup, que fais-tu ? Je mets ma culotte !
Tu n'es pas dans le coup, le loup ! Tu n'es pas dans le coup !
Ta culotte est rigolote. Tralalala la la !*

Le temps passe. Le loup continue de faire peur à tous les adultes. Un jour, un homme du nom de Théophile fait le serment de faire chanter une messe s'il arrive à débarrasser la région du loup qui terrorise la population. Mais, l'automne arrive. Le loup est toujours là ; on l'entend la nuit :
Aaaaahouououou !

Et puis, un matin, Théophile aperçoit le fameux loup. Vite, il retourne chez lui pour prendre une grande cage. Lorsqu'il revient dans son champ, le loup est là qui le regarde sans bouger. Théophile dépose sa cage ouverte avec un gros morceau de mouton à l'intérieur. Et il attend. Il attend.

Il attend. Et là, miracle ! Le loup entre tout seul dans la cage qui se referme.
Clac ! Fait comme un rat le loup !

Le soir même, tout le monde se précipite chez Théophile pour voir la bête.

Une fête s'organise.

On chante, on danse, on s'amuse.

– J'ai vu le loup, le renard et la belette.
J'ai vu le loup, le renard danser. La la la!*

C'est le moment de la réconciliation. Théophile convainc Colbert de rendre ses gros chiens à François.

Le lendemain, le village tout entier assiste à la grand-messe promise par Théophile. Et le curé déclare: "Le loup n'est pas l'auteur seulement d'un grand mal, mais aussi d'un très grand bien: il vous a unis…"

En effet, désormais, les riches, les pauvres, tous les colons peu importe d'où ils viennent forment une vraie communauté, celle de Lafontaine. »

– Ouaf, ouaf, ouaf! fait Sacapusse, en dérobant un nouveau papier à Hadrien.

Puis, il se met à courir tout autour de la grande salle du centre communautaire d'Iqaluit et tous les enfants inuits s'élancent derrière lui pour le rattraper en chantant la comptine bien connue:

Promenons-nous dans les bois, pendant que le loup n'y est pas! La la la!*

Conte adapté du récit *Le Loup de Lafontaine*, du curé Thomas Marchildon, publié en 1955, avec l'aimable autorisation et collaboration d'Alpha Huronie, organisme à but non lucratif offrant des services d'alphabétisation et de formation de base aux adultes francophones du comté de Simcoe, en Ontario (http://www.bdaa.ca/alphahuronie).

Il existe aussi un Festival du Loup, qui se déroule au mois de juillet (http://www.festivalduloup.on.ca).

De plus, un tronçon de quatre kilomètres d'un chemin qui se rend jusqu'à la baie du Tonnerre a été rebaptisé « Le chemin du loup ».

* Extraits des comptines enfantines *Loup y es-tu? Le loup, le renard et la belette* et *Promenons-nous dans les bois*.

Marquis imprimeur inc.

Québec, Canada

2010